한국어 배우기 1

Change English to Korean Word order

김경형

[한국어 배우기]

발행일

2019년 4월 15일

지은이

김경형

발행처

주식회사 부크크

출판등록

2014.07.15.(제2014-16호)

주 소

경기도 부천시 원미구 춘의동202 춘의테크노파크2차 202동 1306호

대표전화

1670-8316

이메일

info@bookk.co.kr

ISBN   979-11-272-6952-4

Preface

Koreans and Japanese are less likely to be skilled in speaking English than Europeans, even after they have spent much more time learning it. Likewise, it is more difficult for Europeans to learn Korean than English. This is because people have difficulty in changing syntax of a sentence for what they want to say due to a big difference in word order. This is the reason why I write this book.

I think that English speakers are easy to learn Korean language when they change English to Korean word order and speak Korean words they know in the changed English word order.

For example, "I went to school" can be converted into Korean: "I(나는)/ to school(학교에)/ went(갔어)".

Then, how can we change order of so many sentences? Don't worry. There are 5 types of sentences in English to one of which every English sentence belongs.Sentences in type 1,2,3, and 4 are easy to be converted into Korean, while those in type 5 are not.

Therefore, I focus on the method how English sentences can be converted into Korean ones based on their types.

This book also consists of a variety of patterns and examples, which are optimized for English speakers. It can be used for self-study.

contents

consonant (자음)

ㄱ	기역 [gi yək]	ㄴ	니은 [niə^n]	ㄷ	디귿[di gə^d]
ㄹ	리을 [li ə^l]	ㅁ	미음[mi ə^m]	ㅂ	비읍[bi ə^b]
ㅅ	시옷[si ot]	ㅇ	이응[i ə^ ŋ]	ㅈ	지읒[zi ə^t]
ㅊ	치읓[tʃi ə^t]	ㅋ	키읔[ki ə^k]	ㅌ	티읕[ti ə^t]
ㅍ	피읖[pi ə^p]	ㅎ	히읗[hi ə^t]		
ㄲ	쌍 기역 [ssaŋ gi yək]	ㄸ	쌍 디귿 [ssaŋ digə^d]	ㅃ	쌍비읍 [ssaŋ bi ə^b]
ㅆ	쌍 시옷 [ssaŋ si ot]	ㅉ	쌍 지읒 [ssaŋ zi ə^t]		

vowel(모음)

ㅏ	아 [a]	ㅑ	야 [ya]	ㅓ	어 [ə], [ʌ]
ㅕ	여 [yə]	ㅗ	오 [o],[ɔ]	ㅛ	요 [jo]
ㅜ	우[u]	ㅠ	유 [ju]	ㅡ	으 [ə^]
ㅣ	이 [i]	ㅐ	애 [æ]	ㅒ	얘 [ye]
ㅔ	에 [e]	ㅖ	예 [ye]	ㅘ	와 [wa]
ㅙ	왜 [wæ]	ㅚ	외 [wæ]	ㅝ	워 [wə]
ㅞ	웨 [we]	ㅟ	위 [wui]	ㅢ	의 [ə^i]

ㄱ: [g], ㄴ: [n], ㄷ: [d], ㄹ: [l], [r], ㅁ: [m], ㅂ: [b],[v] ㅅ: [s], ㅇ: [ŋ](bottom part "ㅇ") ex) 앙: [aŋ], ㅈ: [z], ㅊ: [tʃ], ㅋ: [k], ㅌ: [t], ㅍ: [f], [p] ㅎ: [h]

쉬: [ʃ],쥐:[dʒ], 취:[tʃ] ,까: [kka'], 따: [tta'], 빠: [ppa'], 싸: [ssa'], 짜: [zza']

ㅏ: [a], ㅑ: [ya], ㅓ:[ə], [ʌ], ㅕ: [yə], ㅗ: [o], ㅛ: [yo], ㅜ: [u], ㅠ: [ju], ㅡ: [ə^], ㅣ: [i],

ㅐ: [æ], ㅒ: [ye], ㅔ: [e], ㅖ: [ye], ㅘ : [wa], ㅙ: [wæ], ㅚ: [wæ], ㅝ: [wə], ㅞ: [we], ㅟ: [wui], ㅢ: [ə^i]

*Bottom part 'ㄱ' is pronounced '[k]'

Ex) 각[gak], 낙[nak], 닥[dak]

Double consonants

앉다[an tta'] (sit)// 앉히다[an tʃi da] (seat)// 않다[an ta] (not)// 끊다[kkn ta] (cut)// 닮다[dam tta'] (resemble)// 삶다[sam tta'] (boil)// 앓다[al ta] (be sick, "아프다" is more commonly used than" 앓다")// 끓이다[kkl hi da] (boil)//

삯[sak] (fare, "값"or "요금" is more commonly used than 삯)// 없다[əb tta'] (be+ not, do not exist)// 얇다[yab tta'] (thin)// 얕다[yat da] (shallow)// 잃어버리다[ilhəbərida] (lose)// "~였어"[yəssə]// "~였다"[yətta]// 값[gab] (price)// 몫[mok] (share)// 짧다[zzab da] (short)// 많이[ma ni] (a lot)

*경음화(hard consonant): 국수[국쑤], 학교[학꾜], 닫다[닫따], 업다[업따], 닫고[닫꼬]

*격음화(aspirated consonant): 좋다[조타], 국화[구콰], 많다[만타], 닫히다[다치다], 입학[이팍]

밥하고[바파고], 잡히다[자피다], 막히다[마키다]

Basic Grammar

주격(nominative case) +auxiliary word

Auxiliary word: 은, 는 이, 가, 이가, 이는

*An auxiliary word comes just after a subject word meaning people or things.

*I: 나는, 난(나+는), 내가, 제가, 저는, 전(저+는)

*You: 너는, 넌, 네가, 당신이, 당신은, 니가(not honorific, spoken Korean), 당신(honorific, spoken Korean)

*It: 그것이, 그것은, 그거는(spoken)

Sometimes we use "그거" casually in spoken Korean.

*He(third person): 그 남자는, 그 남자가/ 그는, 그가(written)/ 그 분이, 그 분은, 그 남자분은(honorific)/ 그는 (written)/ 걔는(not honorific), 그 남자애는(boy), 그 남자아이는(boy), 그 사람은

*She(third person): 그 여자는, 그 여자가/ 그 녀는, 그 녀가(written)/ 그 분이, 그 분은, 그 여자분은, 그 여자분이(honorific)/ 걔는(not honorific), 그 여자애는(girl), 그 여자아이는(girl), 그 사람은

11

★Usually we don't use 'third person' but 'proper name'.

＊We: 우리가, 우리는, 우리들은, 우리들이/ 저희들이
저희들은 (spoken Korean, honorific)

Younger people use "저희들" talking to older people.

＊They(people): 그들이, 그들은, 그 사람들이, 그 사람들은/
　　　　　　　개내들은, 개내들이 (spoken Korean, 　not
　　　　　　　honorific)/ 그것들이, 그것들은(things)

＊You(plural): 너희들이, 너희들은(not honorific)/ 여러분은,
　　　　　　　여러분이(honorific)

How to use '는' , '가' or '이는', '이가' in people

＊"**는**"or "**가**" is used when the letter coming before "는" or "가" has no bottom part.

＊"**이는**" or "**이가**" is used when the letter coming before "이는" or "이가" has a bottom part.

Ex) 나는(I), 내가(I) 네가(you), 너는(you)

선희는, 선희가, 순화는, 순화가, 지혜는, 지혜가,

희경이는, 희경이가, 지원이는, 지원이가, 주엽이는, 주엽이가

How to use '은' , '는'

*"은" is used when the letter coming before"은" has a bottom part

*"는" is used when the letter coming before"는" has no bottom part

Ex) 연금은(pension), 수박은(watermelon), 텔레비전은(television), 여권(passport)은, 책상은(desk),

비자(visa)는, 사과(apple)는, 배(pear)는, 복숭아(peach)는, 불고기(Bulgogi)는, 김치(Kimchi)는

소유격(possessive) +auxiliary word(의)

★ **Sometimes we use possessive word without auxiliary word- '의' in spoken Korean, but it is all right.**

*my: 나의, 내

Ex) my book: 내 책, 제 책

my fault: 내 잘못(not honorific), 저의(제) 잘못(honorific)

*your: 너의, 네

Ex) your book: 네 책, 당신의 책

*his: 그 남자의, 그의

Ex) his book: 그의 책, 그 남자의 책, 개 책(not honorific)

*her: 그 여자의, 그녀의, 개의(not honorific)

Ex) her book: 그 여자의 책, 개 책(not honorific), 그녀의 책

*its: 그것의

*our: 우리의, 저희들의

Ex) our book: 우리들의 책, 저희들의 책(honorific)

*their: 그들의, 그 사람들의(people), 개내들(의)(spoken Korean-not honorific)/ 그것들의(things)

Ex) their books: 그들의 책, 개내들의 책

*your(plural): 너희들의, 여러분의

Ex) your books: 너희들의 책 여러분의 책

목적격(objective) +auxiliary word(을, 를)

★ Sometimes we use object without auxiliary word '을' or '를' in spoken Korean, but it is all right.

14

*me: 나를, 저를

*you: 너를, 당신을

*him: 그 남자를, 그를, 그 남자분을, 그 사람을, 걔를(not honorific)

*her: 그 여자를, 그녀를, 그 여자분을, 그 사람을, 걔를(not honorific)

*it: 그것을, 그거를

*us: 우리들을, 저희들을

*they: 그들을, 걔내들을(not honorific), 그 사람들을(people), 그것들을(things)

*you: 너희들을, 여러분을, 니들을

How to use '를' or '을'

* "를" is used when the letter coming before"를" has no bottom part

* "을" is used when the letter coming before"을" has a bottom part

Ex) 사과(apple)를, 자두(plum)를 복숭아(peach)를,
김치(Kimchi)를, 불고기(Bulgogi)를, 지식(knowledge)을,
연금(pension)을, 감자(potato)를, 수박(watermelon)을,
책상(desk)을, 칼날(blade)을, 알(egg)을, 호박(pumpkin)을,
사탕(candy)을, 인형(doll)을

Sentence Structure (문장 구조)

*'Object' lies in front of 'Verb' (목적어는 동사 앞에 놓인다.)

*Verb lies in the end of sentence. (동사는 문장 가장 뒤에 놓인다.)

Ex) 나는/ 그것을/ 좋아해요. (I like it.)

   I(나는-subject)+ it(그것을-object)+좋아해요(like-verb)

★**Sometimes we don't use auxiliary words in spoken Korean. Even sometimes we don't use subject or object. But it is all right.**

Ex.1) Is it delicious? (그것이(그거) 맛있어요?) (맛있어요?-casual expression)

Ex.2) Do you like it? (너는 그것을(그거) 좋아해?) (좋아해? (맘에 들어?)-casual expression)

   Do you/ it/ like?

16

(you(너는-subject), it(그것을-object), like(좋아해-verb))

Ex.3) I tasted <u>it.</u> (나는(저는) 그것을 맛봤어요.), (맛봤어요-casually)

I/ it/ tasted.

나는(I: subject), 그것을(it: object), 봤어요(tasted-verb)

The expressions of the end of sentences

*The sentences of present tense end in "~(이)야", "~입니다", "~이에요", "~어요" "~습니다", ~이다, 해, 해요, 합니다

"~(이)야", "해" (not honorific)

"~입니다" "~이에요," "~어요", "해요", "합니다" (honorific)

*The sentences of past tense end in "~였어", "~였어요", "~였습니다", ~였다

"~했어", "~했어요", "~했습니다", ~했다

"~였어", "~했어"(not honorific)

"~였어요", "~였습니다", "~했어요", "~했습니다"
(honorific)

*The sentences of future tense end in "~ 일 거야",
"~ 일 거예요", "~ 일 것입니다"

"~ 할 거야", "~할 거예요", " ~할 겁니다"

"~일 거야, 할 거야(not honorific)

"~일 거예요","~ 일 겁니다" "~할 거예요", " ~할 겁니다"
(honorific)

의문문 (interrogative sentence)

*An interrogative sentence is finalized with a question
mark at the end of a declarative sentence.

Ex) He is home.

He/ home/ is (그 사람은 집에 있어요.)

He/ home/ is? (그 사람은 집에 있어요?)

The bus/ is coming (버스가/ 오고 있어요, 버스/ 와요).

The bus/ is coming? (버스가/ 오고 있어요?, 버스/ 와요?)

명령문 (imperative sentence)

*Imperative sentences usually end in

~해, ~해라(not honorific)/, ~하세요, ~ 하십시오(honorific)

Ex) Go now. 지금 가 (가라, 가세요, 가십시오)

  *go(가다), now(지금)

  Please go now. 지금 가 주세요 (제발 지금 가)

Appellation

*When we call a man who we don't know, we call him "아저씨"

When we call a woman who we don't know, we call her "아줌마"

When we call a young woman who we don't know, we call her "아가씨"

When we call a student who we don't know, we call him or her "학생"

When we meet a man, we call him "선생님" "사장님" in an honorific form.

When we meet a woman who looks married, we call her "사모님" in an honorific form.

★There are times when we don't say "you". When talking to married man or woman who has children, we call him or her "the name of his child" plus "father "or "the name of her child" plus "mother".

Ex) 현승(his child' name)이 아빠, 지혜(her child's name)엄마

"승" has a bottom part, so "이" comes just before 아빠.

"혜" has no bottom part, so 엄마 comes just after 지혜

Proposition

*We don't have 'proposition' but use auxiliary words instead.

How to use '로 ' or '으로' (to or toward)

*"로" is used when the letter coming before"로" has no bottom part or when the letter coming before"로" has a bottom "ㄹ".

*"**으로**" is used when the letter coming before"**으로**" has a bottom part.

Ex) 전주(Jeonju)로, 목포(Mokpo)로, LA 로, 프랑스(France)로, 학교(school)로, 서울(Seoul)로, 하늘(sky)로

공항(airport)으로, 식당(restaurant)으로, 집(home)으로, 부산(Busan)으로, 미국(America)으로, 영국(England)으로, 강남(Kang nam)으로

*"~에" is used instead of "로" or "으로"

Ex) I am going to Seoul. (나는(저는) 서울에 가(요))

　　 I am going to America.(나는(저는) 미국에 가(요)).

　　 I go to school. (나는 학교에 다녀(요). (가요))

　　 I am going to school. (나는(저는) 학교에 가고 있어요, 학교에 가(요))

Ex) I am going to the airport. (나는 공항에 가고 있어요, 공항에 가요)

　　 *In Korean, we sometimes express 'present progressive' as "present tense"

　　 I am in the airport. (나는 공항에 있어요)

*to the airport (공항으로, <u>공항에</u>)/ in the airport
(공항에서, <u>공항에</u>)

How to use ᅟ'와', ᅟ'과', '랑' , '이랑', '이와' (with or and)

"와" is used when the letter coming before"와" has no
bottom part

"과" is used when the letter coming before"과" has a
bottom part

"랑" is used when the letter coming before"랑" has no
bottom part

"이랑" is used when the letter coming before"이랑" has a
bottom part.

"이와" is used when the letter coming before"이와" has a
bottom part.

Ex) 사과와, 그 아이와, 카레와, 복숭아와 혜란(name)이와,
재승(name)이와, 연필과, 그 사람과, 책상과, 책과, 안경과,
현서(name)와, 노트북과, 리모콘과, 지혜랑, 현수랑,
지현이랑, 현진이랑, 지현이와, 현진이와

Temporal and local adverbs or adverbial phrases

*Sometimes we don't use "에", "는", "은" in saying temporal and local adverbs or adverbial phrases. It is all right.

Ex) 어제는(yesterday), 오늘은(today), 내일은(tomorrow), 모레는(the day after tomorrow), 그저께는(the day before yesterday), 여기에(here), 거기에(there), 3 주전에(three weeks ago), 8 시에(at 8), 시내에(downtown)

*Local and temporal adverbs or adverbial phrases lie in front of verb in a sentence or sometimes first in a sentence.

Ex1) I'm going <u>to the library</u>.

I/ to the library/ am going

(<u>나는/ 도서관에</u> 가(요))

Ex2) I went downtown <u>last night</u>.

Last night/ I/ downtown/ went

(<u>어젯밤에</u> <u>나는</u> <u>시내에</u> 갔어(요).)

Ex3) Stay <u>here.</u>

<u>here</u>/ Stay (<u>여기에/</u> 있어(요).) (여기에 계세요-honorific)

Adverbial phrases

at 8 (8 시에), at night (밤에), at school (학교에서), at work
(직장에서), at the party (파티에서), at breakfast(아침식사
때에), at lunch(점심 때에), at dinner(저녁식사 때에), in
2012 (이천 십이 년에), in spring (봄에), in his thirties
(30 대에 있는), in my forties (40 대에 있는)

in a few days (며칠 지나), in 10 minutes (10 분 지나),
within a week (일주일 안에), within 20 minutes (20 분안에)

go to school (학교에 가다), go to bed (잠자러 가다), go to
work (일하러 가다), go to church (교회에 가다), go to the
dentist (치과에 가다)

during the meal (식사하는 동안에), during the day (낮
동안에), during the night (밤 동안에), during the weekend
(주말 동안), during the vacation (휴가 중에), during the
movie (영화 보는 동안에), during the week (주 중에)

for two years (2 년동안), for a long time (오랫동안),until
Saturday (토요일까지), until 4 o'clock (4 시까지), from
Monday to(until) Wednesday (월요일부터 수요일까지)

by the bed (침대 옆에), by the door (문 옆에), next to him
(그 사람 옆에), in front of me (내 앞에서),

in back of him (그 사람 뒤에), in the middle of it (그것
중간에), between A and B (A 와 B 사이에),

24

on a bus (버스 타고), on the plane (비행기 타고)

across from me (내 건너편에), under the sofa (소파 아래),
in college (대학 때), in middle school (중학교 때)

before the concert (컨서트 전에), before the end (끝나기
전에), after lunch (점심 후에), after school (방과 후에),
after our visit (우리가 방문 한 후에), after three tries(세 번
시도 한 후에)

since last week (지난주 이후에), since 2016 (2016 년
이후에)

by bus (버스 타고), by taxi (택시 타고), on foot (걸어서),
with me (나랑 같이, 나와 함께), without me (나 없이)

about the weather (날씨에 대해), information about
hotels (호텔에 대한 정보)

on my way home (집에 가는 중), on his way to the
hospital (병원에 가는 중), according to A (A 에 따르면),
like an idiot (바보처럼)

Number (수)

숫자(numbers), 분수(fraction), 소수(decimal),
나누기(division), 곱하기(multiplication), 더하기(addition),
빼기(subtraction)

*0(영), 1(일), 2(이), 3(삼), 4(사), 5(오), 6(육), 7(칠), 8(팔),
9(구), 10(십)

20(이십), 30(삼십), 40(사십), 50(오십)······

100(백), 200(이백), 300(삼백), 1000(천), 2000(이천)
10000(만), 20000(이만), 100,000(십만), 200, 000(이십만),
1,000,000(백만), 2,000,000(이백만), 10,000,000(천만),
20,00,000(이천만), 100,000,000(1 억)

*1(하나), 2(둘), 3(셋), 4(넷), 5(다섯), 6(여섯), 7(일곱),
8(여덟), 9(아홉), 10(열), 11(열하나), 12(열 둘), 13(열 셋),
14(열 넷), 15(열 다섯), 16(열 여섯), 17(열 일곱), 18(열
여덟), 19(열 아홉), 20(스물), 30(서른), 40(마흔), 50(시운),
60(예순), 70(일흔), 80(여든), 90(아흔), 100(백)

*one time(한 배), two times(두 배), three times(세 배),
four times(네 배), five times(다섯 배), eleven times(열한
배), twelve times(열두 배), thirteen times(열세 배), twenty
times(스무 배), double(두 배), triple(세 배), quadruple(네
배)

*once(한 번), two times(두 번), three times(세 번), four times(네 번)

*hundreds of dead fish (수 백 마리의 물고기), millions of dollars (수백만 달러), hundred thousands of stars (수 십 만개의 별)

*first (첫 번째), second (두 번째), third (세 번째), fourth (네 번째), fifth (다섯 번째), sixth (여섯 번째), seventh (일곱 번째), eighth (여덟 번째), ninth (아홉 번째), tenth (열 번째),

eleventh 열한 번째), twelfth (열두 번째), 20th (스무 번째), 21st (스물 한 번째)…

*1/2(이분의 일), 3/4(사분의 삼), 2/5(오분의 이), 1 1/2(일과 이분의 일), 2 2/3(이와 삼분의 이) ('의', '과': auxiliary words)

*3.4(삼 점 사), 0.5(영점 오), 0.05(영점 영오)

*3+6=9(삼 더하기 육 은 구), 2+ 4=6(이 더하기 사는 육), 7-3=4(칠 빼기 삼은 사), 5*6=30(오 곱하기 육은 삼십), 7*4=28(칠 곱하기 사는 이십 팔), 9/3=3(구 나누기 삼은 삼)

(은, 는: auxiliary word(조사))

Counting unit

*When we count animals, we use '마리'

Ex) one dog (한 마리), two dogs(두 마리), 세 마리(three dogs)…

When we count people, we use '사람' or '명'

Ex) one person(한 사람, 한 명), two people(두 사람, 두 명)

When we count things, we usually use '개'

Ex) 한 개(one), 두 개(two), 세 개(three)…

paper(~장) 한 장, 두 장…/ book(~권) 한 권, 두 권…

car(~대) 한 대, 두 대…/ TV(~대) 한 대, 두 대…

Day, Month

Sunday(일요일), Monday(월요일), Tuesday(화요일),
Wednesday(수요일), Thursday(목요일), Friday(금요일),
Saturday(토요일)

January(일월, 1 월), February(이월, 2 월), March(삼월, 3 월),
April(사월, 4 월), May(오월, 5 월), June(유월, not 육월,
6 월), July(칠월, 7 월), August(팔월, 8 월), September(구월,
9 월), October(시월, not 십월, 10 월), November(십일월,
11 월), December(십이월, 12 월)

this year(올해), last year(작년), next year(내년), this
month(이번 달), last month(지난 달), next month(다음
달), next week(다음 주), this week(이번 주), last
week(지난 주), the middle of next month(다음 달 중순),
the end of last year (작년 말), early next year(내년 초)

Simple Daily Conversation

*Hi!, Hello. ---**안녕하세요**. Hello (telephone call)---
여보세요.

*Thank you--- **고맙습니다, 고마워요, 감사합니다.**

고마워 (not honorific),

*Yes **(예),** No**(아니요)**

*Excuse me. **(실례합니다)**

*How do you do? **(처음 뵙겠습니다)**

*Nice to meet you. **(만나서 반갑습니다)**

*I am Kim Jee Soo. **(저는 김지수 입니다)**

*My last name is Kim. **(제 성은 '김' 입니다)**

*My first name is Jee Soo. **(제 이름은 '지수'입니다)**

*Good**(좋아요),** I like it. **(맘에 들어요, 좋아요)**

*I will take it.**(그거 살게요, 그것 살게요)**

*Really? **(정말이요?),**

*How much? **(얼마예요?)**

*Where are you going? **(어디 가세요?, 어디 가)**

*What are you doing? **(뭐하세요?, 뭐해?)**

*What's next? **(다음이 뭐예요?)**

*What is that**? (그게 뭐예요?)**

*How long does it take? **(얼마 걸려요?)**

*Pardon?, Excuse me? **(예?) (네?) (뭐라고요?, 뭐라고
하셨어요?) (뭐라고?)**

*I can't hear you. **(안 들려요)**

*just in case **(혹시나, 혹시나 해서)**

*Just for a second **(잠깐만)**

*I got it. **(알았어요)**

*Go ahead. **(먼저 하세요) (먼저 가세요)**

*How are you doing? **(잘 지내세요?, 잘 지내?)**

*No problem. **(문제 없어요).**

*No problem with my schedule. **(내 스케줄에는 문제
없어요.)**

*Not this time. **(이번에는 안돼요)**

*Good for her. **(그 여자에겐 잘됐네요)**

*Like what? **(어떤 것?, 어떤 것인데요?)**

*Be my guest. **(편하게 하세요, 편하게 해)**

*No way. **(절대 안돼(요))**

*It depends. **(상황에 따라 달라(요))**

*So far, so good. **(지금까진 괜찮아(요))**

*For here or to go? **(여기서 먹을 거예요? 아니면 가지고 갈 거예요?)**

*Why not? **(물론이죠)**

*Of course. **(물론이죠)**

*How about this? **(이것 어때요?)**

*What's the matter?, What happened? **(무슨 일이에요?, 무슨 일이야?)**

*Never **(전혀 아니에요, 전혀 아니야)**

*O.K **(오케이, 좋아요)**

*Where are you? **(어딨어(요)?, 어디 있어(요)?)**

*Oh. I see. **(오 알았어(요))**

* You're right. **(맞아(요))**

*I understand. **(알겠어(요))**

*Sounds good. **(좋아(요))**

*I remember. **(기억나(요))**

*Give me a call. **(나(저)한테 전화해(요)**

S(subject)+V(verb)+Adverb : Type 1

*He/ in the bathroom/ is.

그는/ 화장실에/ 있어(요). (있습니다)

*He/ in the bathroom/ is? (Is he in the bathroom?)

그는/ 화장실에/ 있어(요)? (있습니까?)

*He/ here/ was

그는/ 여기에/ 있었어(요).

*He/ here/ was? (Was he here?)

그는/ 여기에/ 있었어(요)?

*He/ at work/ is

그는/ 직장에/ 있어(요).

*he/ at work/ is? (Is he at work?)

그 사람은/ 직장에/ 있어(요)?

*He/ at school/ is

그 애는/ 학교에/ 있어(요).

*He/ at school/ is?

그 남자애는/ 학교에/ 있어요?

*She/ out/ is

그 여자(애)는(걔는-not honorific))/ 밖에/ 있어요.

*She/ out/ is?

그 여자(애)는(걔는- not honorific)/ 밖에/ 있어요?

*He/ there/ is

그 애는(걔는)/ 저기에/ 있어(요).

*He/ there/ is? (Is he/ there?)

그 애는/ 저기에/ 있어(요)?

*You/ in there/ are.

너는/ 거기 안에/ 있구나.

*You/ in there/ are? (Are you /in there?)

너는(당신은)/ 거기 안에/ 있어(요)?

*She/ in the hospital/ is

그 여자는/ 병원에(입원해)/ 있어(요).

*She/ in the hospital/ is?

그 여자는/ 병원에 (입원해)/ 있어(요)?

*He/ at the bank/ is

그 사람은/ 은행에/ 있어(요).

*he/ at the bank/ Is?

그 남자는/ 은행에/ 있어(요)?

*He/ in big trouble/ is

그 사람이(은) 많이 어려워요. (힘들어요).

*he/ in big trouble/ Is?

그 사람이/ 많이 힘들어요?

*I/ here/ am. (I am here.)

나는/ 여기에/ 있어요.

*He/ here/ is not

그 남자는/ 여기/ 없어요. (있지 않아요).

*The city hall/ over there/ is

시청이/ 저기/ 있어요.

*We/ in class/ were

우리는(저희는)/ 수업 중/이었어요. (수업하고 있었어요)

*you/ in class/ were?

너희들은(너는)/ 수업 중이었어? (수업하고 있었니?)

*She/ is in the second grade.

그 여자애는/ 2 학년이야. (2 학년이에요)

*They/ with me/ are

그들은(개내들)/ 나랑(저랑) 같이/ 있어(요).

*they/ with you/ are? (Are they with you?)

개내들이 (그 사람들이)/ 너랑(당신과) 같이/ 있어(요)?

*She/ with her mom/ is

그 여자는/ 자기 엄마랑(엄마와 함께)/ 있어(요).

*I/ in the car/ was (stayed)

나는(저는)/ 차 안에/ 있었어(요).

*you/ in the car/ were?

너는(당신은)/ 차 안에/ 있었어(요)? **(너는~있었니?)**

*yesterday/ It/ here/ was. (It was/ here/ yesterday)

어제/ 그것은/ 여기에/ 있었어(요). (그것은 어제~)

*He/ there/ was

그 사람은/ 저기에/ 있었어(요).

*He/ outside/ was (stayed)

그는/ 밖에/ 있었어(요).

*I/ by his side/ was

나는(저는)/ 그의(개) 옆에/ 있었어(요).

*It/ right/ over there/ is

그것은/ 바로/ 저기에/ 있어(요).

*He /from Japan/ is. *He / from Japan/ comes

그는/ 일본에서/ 왔어(요).

*I/ home/ am

나는/ 집에/ 왔어(요). (있어요)

*She/ already/ there/ is

그 여자는/ 벌써/ 저기에/ 와있어(요). (있어요)

*you/ there/ Are? (Are you there?)

너는(당신은)/ 거기에/ 있니? (있어요?)

*She/ at the moment/ out/ is

그 여자는/ 지금은/ 밖에/ 있어요. *at the moment:(당장)
지금은

*I'm/ in a hurry.

나는(저는) 바빠(요). ('시간이 급하다' 는 의미)

*I am /on my way.

나는(저는) 가고 있어(요).

*Are you/ for the English camp/ here?

너는(당신은)/ 영어 캠프 때문에/ 여기에 왔어(요)? (왔니?)

*I/ to school /go.

나는(저는) 학교에 가(요). (저는 ~다닙니다, 저는 ~갑니다)

*It/ works.

그것은/ 작동해(요). (작동합니다)

*It/ at 10/ begins?

그것은/ 10 시에/ 시작합니까? (시작해(요)?, 시작하나요?)

*It/ works?

그것은/ 작동해(요)? (작동하니? 작동하나요?, 작동합니까?)

*It/ well/ works

그것은/ 잘/ 작동해요.

*It/ well/ works?

그것은 잘 작동하니? (작동해요?, 작동해?, 작동합니까?)

*It/ worked.

그것은/ 작동했어(요). (그것은/ 효과가 있었어(요))

*My right foot/ so much/ hurts

내 오른 발이/ 엄청/ 아파(요).

*It/ at 10/ begins

그것은/ 10 시에/ 시작한다. (시작해(요), 시작합니다)

*I/ usually/ at 8/ get up

**나는(저는)/ 보통(보통 저는)/ 8 시에/ 일어나(요).
(일어납니다)**

*The bus/ at 11:20/ leaves

버스는/ 열한 시 이십 분에/ 떠나(요). (출발해(요)). *leave:
떠나다, 출발하다

*The bus/ at 11:20/ leaves?

버스는/ 열한 시 이십 분에/ 떠나(요)? (떠납니까?,
떠나나요?)

*The train/ at 9:30/ arrives

기차는/ 아홉 시 삼십 분에/ 도착해요. (도착해, 도착합니다)

*the train/ at 9:30/ arrives?

기차는/ 아홉 시 삼십 분에/ 도착해(요)? (도착하니?,
도착합니까?)

*It/ a lot/ costs

그것은/ 비용이 많이 들어(요). (든다. 듭니다) *cost: 비용이
들다, a lot: 많이

*It/ a lot/ costs?

그것은 비용이 많이 들어(요)? (드나요?, 듭니까).

*My left foot/ still/ hurts.

내(제) 왼발이/ 아직/ 아파(요). (아픕니다) *hurt: 아프다,
다치다

*It/ back and forth/ moves

그것은/ 앞뒤로/ 움직인다. (움직여(요), 움직입니다) *back: 뒤, forth: 앞

*It/ back and forth/ moves?

그것은/ 앞뒤로/ 움직이니? (움직여(요)?, 움직입니까?)

*My arm/ itches.

내(제)팔이/ 가려워(요). (가렵습니다, 가렵다)

*He/ in Seoul/ lives

그는/ 서울에/ 살아(요). (삽니다) *live: 살다

*He/ in Seoul/ lives?

그 남자는/ 서울에/ 살아(요)? (삽니까, 사나요? 사니?)

*The store / today/ opens

그 가게는/ 오늘/ 열어(요). (엽니다)

*The store/ today/ opens?

그 가게는/ 오늘/ 열어(요)? (여니?, 엽니까?) *open: 열다

*The museum/ at 5/ closes

그 박물관은/ 다섯 시에/ 닫아(요). (닫습니다) *close: 닫다

*The museum/ at 5/ closes?

그 박물관은/ 다섯 시에/ 닫아(요)? (닫니?, 닫나요?, 닫습니까?)

*She/ Saturday/ goes to work

그 여자는/ 토요일에/ 일하러 가(요). (갑니다) (토요일에 그 여자는 ~~.) *go to work: 일하러 가다/ work: 일, 일하다

*She/ Saturday/ goes to work?

그 여자는/ 토요일에/ 일하러 가(요)? (가니?, 가나요?, 갑니까?)

*My son/ at 10/ goes to bed

내(제)아들은/ 열 시에/ 잠자러 가(요). *go to bed: 잠자러 가다

*I/ usually/ dinner/ around 7/ eat (have)

나는(저는)/ 보통/ 저녁을/ 일곱 시 경에/ 먹어(요). (먹는다, 먹습니다) *around: ~경에(time), ~주위에(place)

*She/ in a bank/ works

그 여자는/ 은행에서/ 일해요. (일해, 일합니다)

*She/ in a bank /works?

그 여자는/ 은행에서/ 일해(요)? (일하니?, 일합니까)

*She/ very hard/ studies

그 여자는/ 아주 열심히/ 공부해(요). (공부 합니다)

*She/ very hard/ studies?

그 여자는/ 아주 열심히/ 공부해(요)? (하나요?, 합니까?, 하니?)

*His parents/ in U.S.A/ live

그의 부모님은/ 미국에/ 살아(요). (삽니다) *live: 살다

*His parents/ in U.S.A/ live?

그 사람의 부모님은/ 미국에/ 살아(요)? (삽니까?)

*It/ very often/ happens.

그건(그것은)/ 아주 자주/ 일어나(요). (일어납니다)

*It/ very often/ happens?

그건(그것은)/ 아주 자주/ 일어나(요)? (일어납니까?)

*in summer/ It rains a lot

여름엔/ 비가 많이 와(요). (옵니다) *rain a lot: 비가 많이
오다/ a lot: 많이

*in winter/ It snows a lot.

겨울엔/ 눈이 많이 와(요). (옵니다)   *snow a lot: 눈이 많이
오다

*The dog/ under the sofa/ is hiding

그 개는/ 소파아래/ 숨어있어(요). (숨어 있다, 숨어있습니다)

*She/ behind him/ is standing

그 여자는/ 그 남자 뒤에/ 서있어(요). (서 있다, 서 있습니다)

*The bus/ is coming.

버스가/ 오고 있어(요). (버스 온다, 버스 와 (오고 있다, 오고
있습니다))

*I/ to school/ at 8/ went

나는(저는)/ 학교에/ 8 시에/ 갔어(요). (갔다, 갔습니다)

*I/ to school/ walked

나는(저는)/ 학교에/ 걸어갔어(요). (갔다, 갔습니다).

*I/ home/ came back

나는(저는)/ 집에/ 돌아왔어(요). (왔다, 왔습니다) *come
back 돌아오다

*He/ home/ went (got) back

그 남자는/ 집으로/ 돌아갔어(요). (갔습니다) *go back, get
back 돌아가다

*He/ to his country/ went (got) back

**그 남자는/ 자기 나라로/ 돌아갔어(요). (돌아갔다, 돌아
갔습니다)**

*He/ downtown/ went

그 남자는/ 시내에/ 갔어(요).

*I/ to the library/ went

나는(저는)/ 도서관에/ 갔어(요).

*He/ <u>to</u> the restroom/ went

그는/ 화장실에/ 갔어(요).

*It/ soon after/ disappeared

그것은/ 그 후에 바로/ 사라졌어(요). (사라졌다,
사라졌습니다) *soon: 곧, 바로

*He/ inside/ went.

그 남자는/ 안으로/ (들어)갔어(요).

*I/ at 8/ got up

나는(저는)/ 8 시에/ 일어났어(요). (일어났다, 일어났습니다)

*He/ right/ turned.

그 사람은/ 오른쪽으로/ 돌았어(요). (돌았다, 돌았습니다)

*He/ around/ looked

그 남자는/ 주변을(둘레를)/ (둘러)보았어(요). (보았다,
보았습니다)

48

*He/ around/ turned

그 남자는/ 둘레를/ 빙 돌았어(요). (돌았다, 돌았습니다)
*turn: 돌다

*He/ sat down/ at the table.

그 남자는/ 테이블에/ 앉았어(요). (앉았다, 앉았습니다) *sit:
앉다

*He/ first/ arrived

**그 남자는/ 첫 번째(로)/ 도착했어(요). (도착했다,
도착했습니다)**

*The bus/ <u>at</u> 11:20/ left

그 버스는/ 11 시 20 분에/ 떠났어(요). (갔어요). (떠났습니다)

*It/ back and forth/ moved

그것은/ 앞뒤로/ 움직였어(요). (움직였습니다)

*It/ <u>to</u> me/ belongs (It's mine.)

그건(그것은) 내 거야. (제 것입니다, 제 것이에요)

*I/ here/ moved

나는(저는)/ 여기로/ 이사 왔어(요). (이사 왔습니다)

*She/ <u>to</u> him/ talked

그 여자는 그 남자에게/ 말했어(요). (말을 걸었어요)

  *She/ <u>to</u> him/ was talking

그 여자는/ 그 남자에게/ 말하고 있었어(요). (있었습니다)

*I/ there/ by bus (by taxi, by subway)/ went

나는(저는)/ 거기에/ 버스 타고 (택시 타고, 지하철로)/
갔어(요). (갔다, 갔습니다)

*He/ <u>at</u> me/ laughed

그 남자는 / 나(저)를 (보고)/ 웃었어(요). (웃었다,
웃었습니다)

*She/ to him/ <u>about</u> her problem/ talked

그 여자는/ 그 남자에게/ 자기 문제에 대해/ 말했어(요).
(말했습니다)

*He/ at me/ looked

그 남자는/ 나(저)를/ 봤어(요). (봤다, 봤습니다)

*He/ to me/ lied.

그 남자는/ 나(저)에게/ 거짓말했어(요). (거짓말했습니다)

*I/ <u>to</u> her/ apologized

**나는(저는)/ 그 여자에게/ 사과했어(요). (사과했다,
사과했습니다)**

*It/ 3 years ago/ happened

그것은(그게, 그건)/ 3 년전에/ 일어났어(요). (일어났습니다)
*happen: 일어나다, 생기다

*A strange thing/ happened<u>.</u>

이상한 일이/ 일어났어(요). (생겼어) (일어났다, 일어났습니다)

*He/ <u>to</u> class/ came

그 남자는/ 수업에/ 왔어(요). (왔다, 왔습니다)

*It/ a lot/ cost

그것은/ 비용이 많이 들었어(요).

*He/ a lot/ cried

그 남자애는/ 많이/ 울었어(요). (울었다, 울었습니다)

*I/ for a bus/ waited

나는(저는)/ 버스를/ 기다렸어(요). (기다렸다, 기다렸습니다)

*I/ for her/ was waiting

나는(저는)/ 그 여자를/ 기다리고 있었어(요). (있었다, 있었습니다)

*The war/ in 1950/ broke out

그 전쟁은/ 1950 년에/ 일어났어(요).

*My car/ several times/ broke down

내(제) 차는(차가)/ 여러 번/ 고장 났어(요). *break down: 고장 나다

*I/ to the bus stop/ drove

나는(저는)/ 버스 정류장까지/ 운전해 갔어(요). (갔다, 갔습니다) *drive: 운전하다

*I/ fell down.

나는(저는)/ 넘어졌어(요). (넘어졌다, 넘어졌습니다)

*I/ into my swimsuits/ changed

나는(저는)/ 내 수영복으로/ 갈아 입었어(요). (입었다,
입었습니다)   *change: 바꾸다, 옷을 갈아입다

*Everyone/ outside/ hurried

모두가/ 밖으로/ 서둘러 갔어(요). (서둘러 밖으로 갔어요)
*hurry: 서두르다, 서둘러 가다

*He/ into the kitchen/ hurried

그 남자는/ 부엌 안으로/ 서둘러 갔어(요). (갔다, 갔습니다)

*I/ with her/ fought

나는(저는)/ 그 여자랑/ 싸웠어(요). (싸웠다, 싸웠습니다)

*I/ to L.A/ flew

나는(저는)/ L.A 에/ 비행기 타고 갔어(요).
*fly: 날다,(비행기타고)날아가다

*I/ <u>about</u> it/ forgot

나는(저는)/ 그것에 대해/ 잊어버렸어(요). *forget: 잊다,
forgot: 잊었다, 잊어버렸다

*Are you <u>for or against it</u>?

**너는(당신은) 그것에 찬성입니까 아니면 반대입니까?
(찬성이니 아니면 반대니?)**

*I/ <u>to</u> the bank/ got

나는(저는)/ 은행에/ 도착했어(요). (도착했다, 도착했습니다)
*arrive at, get to: 도착하다

*I/ <u>in</u> a small town/ grew up

나는(저는)/ 작은 도시에서/ 자랐어(요). (컸어요, 자랐습니다)

*I/ <u>behind</u> a tree/ hid

나는(저는)/ 나무 뒤에/ 숨었어(요). (숨었다, 숨었습니다)
*hide: 숨다

*He/ at the entrance/ appeared

그 남자는/ 입구에/ 나타났어(요). (나타났다, 나타났습니다)

*He/ there/ <u>lay</u>

그 남자는/ 거기에/ 누웠어(요). (누웠다, 누웠습니다)

*He/ by my office/ <u>stopped</u>

그 남자는/ 내(제) 사무실에/ 들렀어(요). (들렀다, 들렀습니다)
*stop by: 들르다

*I/ of it/ never heard

나는(저는)/ 그것에 대해/ 들어본 적 없어(요). (없다,
없습니다)

*He/ <u>out of</u> the car/ came (stepped, got)

그 남자는/ 차에서(차 밖으로)/ 나왔어(요). (나왔다,
나왔습니다)

*It/ 3 years ago/ started

그것은/ 삼 년전에/ 시작했어(요). (시작했다, 시작했습니다)

*He/ off the bus/ got

그 남자는/ 버스에서/ 내렸어(요). (내렸다, 내렸습니다) *get
off: 내리다

*He/ on the bus/ got on

그 남자는/ 버스를/ 탔어(요). (탔다, 탔습니다) *get on: ~를(에) 타다

*He/ from the university/ <u>graduated</u>

그 남자는/ 그 대학을/ 졸업했어(요). (졸업했다, 졸업했습니다) *graduate from: ~을(를) 졸업하다

*The event/ four years <u>later</u>/ took place

그 사건은/ 4 년 후(에)/ 일어났어(요). (일어났다, 일어났습니다)

*All the lights/ went on.

모든 불이/ 켜졌어(요). (켜졌다, 켜졌습니다) *go on: (불이) 켜지다, 계속하다(keep on)

*He/ home/ went. (They/ for home/ left)

그 사람은/ 집에/ 갔어(요). (갔다, 갔습니다)

*I/ on time/ will be.

나는/ 시간 맞춰서 (정시에)/ 갈 거야. (갈게, 갈 거예요)

*I/ there/ will be

내가(제가)/ 거기에/ 갈게(요). (가겠습니다)

*I/ <u>in</u> 30 minutes/ will leave

나는(저는)/ 30 분 후에(지나서)/ 떠날 거야. (갈 거야). (떠날 겁니다) *will leave: 떠날 거예요, 떠나겠습니다, 떠날 겁니다

Here is(are) ~ : 여기에 ~이 있다 (Type 1)

*여기에 ~이 있어요. (~이 여기 있어요.)

*<u>Here's</u>/ one.

여기에/ 하나가/ 있어(요). (하나 여기 있어요)

*<u>Here's</u> your change.

여기에/ 너의(네) 거스름돈이/ 있어(요).

*<u>Here's</u> my I.D.

여기에/ 제(내) 신분증이/ 있어(요).

*<u>Here's</u>/ another idea.

여기에/ 또 다른 아이디어가/ 있어(요).

*<u>Here's</u>/ the latest edition.

여기에/ 최신판이/ 있어(요).

*<u>Here's</u> / a label.

여기에/ 라벨이/ 있어(요). (표 딱지가 있어요) *label: 표 딱지

*Here's a great way.

여기에/ 아주 좋은 방법이/ 있어(요).

*Here's a second example.

여기에 두 번째 예가 있어(요).

*Here's my card.

여기에 내 카드가 있어(요).

*Here's his office.

여기가 그의 오피스야

*Here's his phone number.

여기 그 사람 전화번호야

*Here's where I live.

여기가 내가 사는 곳이야

Subject + Verb(be, get, go) + Complement : Type2-1

be:

*present tense(am, are, is): ~이다, ~이에요(예요), ~입니다,
~하다, ~해요, ~합니다

*past tense: ~였다, ~이었다, ~이었어요, ~이었습니다,
    했다,~했어요, 했습니다, 됐다, 됐어요, 됐습니다

*I/ am Sally.

난/ 샐리야. 저는 샐리예요. (저는 샐리입니다)

*I am a lawyer

저는 변호사예요. (저는 변호사입니다)

*I am nervous.

난(나는, 저는) 초조해(요) *nervous: 초조한

*He/ is asleep.

그 남자는 잠들었어(요).

*He/ is fat.

그 남자애는/ 뚱뚱해(요).   *fat: 뚱뚱한

60

*That's enough.

그것은(그건)/ 충분해(요).

*You are right.

당신이 맞아(요). (당신 말이 맞습니다) *right: 옳은, 맞는, 맞다

*It is missing.

그것은/ 사라지고 없어(요). *missing: 사라지고 없는, 빠져 있는

*The bus fare/ is 1100 Won.

버스요금은/ 1100 원이에요.

*Today/ the temperature/ is 29 degrees.

오늘은/ 온도가/ 29 도예요. *degree: 도(온도)

*Is that it?

그게(그것이) 그거니? (그거예요?, 그거입니까?)

*It/ is incredible.

그것은/ 믿을 수 없어(요). *incredible: 믿을 수 없는

*It/ is so/ fragile.

그것은/ 아주/ 깨지기 쉬워(요). (쉽다, 쉽습니다) *fragile: 깨지기 쉬운

*It/ is a <u>tricky</u> question.

그것은/ 까다로운 문제야. (문제예요, 문제입니다)

*That's too bad.

그것은 너무 안됐다. (안됐어(요))

*That's a <u>true</u> story.

그것은 진짜 이야기야. (이야기예요, 이야기입니다)

*He/ is very curious.

그는/ 매우 호기심이 많아(요). *curious: 호기심이 많은

*It/ is <u>too</u> much.

그것은/ 너무 많아(요). *much: 많은(adjective), 많이(adverb)

*It/ is wrong.

그것은 틀려(요) (틀렸어(요), 틀렸습니다)

*My front tire is flat.

내(제) 차 앞 타이어가 빵꾸 났어(요). *front: 앞의(adjective), 앞(noun)

*It/ is broken.

그것은/ 고장 났어(요). (고장 났습니다) *broken: 고장 난, 깨진

*Battery/ is dead.

배터리가/ 다 됐어(요). (다 됐습니다) *dead: '죽은', '죽다', '다 닳아졌다'

*to this/ I am new

이것(에)/ 나는(저는) 처음이야. (저는 이것에 처음이에요.)

*Summer vacation/ is <u>almost</u>/ over.

여름 방학이/ 거의/ 끝났어(요). (끝났다, 끝났습니다)

*The box/ is empty.

그 박스는/ 비어 있어(요).   *empty: 빈, 비어있는

*The box/ was empty.

그 박스는/ 비어 있었어(요).

*It/ was my fault.

그것은/ 내(제) 잘못이었어(요). *fault: 잘못

*It/ was helpful.

그것은/ 도움이 됐어(요). (됐습니다) *helpful: 도움이 되는

*It/ was about 3 years ago.

그것은/ 약 3 년 전이었어(요).

*He/ was awake.

그 애는 깨어 있었어(요). *awake: 깨어 있는

*He/ was alive.

그 사람은 살아 있었어(요). *alive: 살아 있는

*She was very friendly.

그 여자분은(그 여자는) 아주 친절했어(요). *friendly: 친절한, 다정한

64

*The game was <u>close</u>.

그 게임은/ 막상막하였어(요). *close: (게임이) 막상막하이다, (문이) 닫힌, (문을) 닫다

*It/ wasn't me.

그건/ 내가 아니었어(요).

*He/ got excited. (He was excited)

그 남자는/ 신이 났어(요).　　　　*excited: 신이 난

*The bus/ was so crowded.

버스는/ 아주 붐볐어(요). (short form of '붐비었어요')
*crowded: 붐비는

*It/ was wet.

그것은/ 젖어 있었어(요).　　　*wet: 젖은

*We/ got wet.

우리는/ 젖었어(요).

*It/ went wrong.

그것은/ 잘못됐어(요).

65

*It/ went bad.

그것은/ 상했어(요).   *go bad: 상하다/ bad: 나쁜

*He/ got angry.

그는(개는)/ 화가 났어(요). *angry: 화가 난, 화난

*He/ was upset.

그 남자는/ 화났어(요).

*He is my neighbor.

그 남자는 내 이웃이야. (그는 이웃집 살아요), (이웃이에요)

*He/ is absent.

그 남자는 결석했어(요). (결석했습니다, 했다) *absent:
결석한, 결석하다

*I/ am your age.

나는(저는)/ 네(당신의) 나이랑 같아(요). *age: 나이

*I/ was <u>about</u> your age.

나는(저는)/ 거의 너의(당신의) 나이였어(요). *about: 거의,
약

*It/ is so real.

그것은/ 아주 진짜야. (진짜예요) *real: 진짜인, 실제의

*It/ is weird.

그것은/ 이상해(요). *weird: 이상한

*It is annoying.

그것은/ 짜증나(요). (짜증납니다) *annoying: 짜증나는

*I'm so stressed out.

나는(저는)/ 엄청 스트레스 받아(요). *so: 아주, 엄청

*She/ at math/ is good

그 여자애는(그 여자는)/ 수학을/ 잘해(요).

*His job/ is so stressful.

그의 직업은/ 아주 스트레스가 많아(요).

*It/ on foot/ is 20minutes

그것은/ 걸어서/ 20 분이에요. (이다, 입니다)

*It/ for adults/ is 15 dollars

그것은/ 어른은/ 15 달러예요.

*I/ am ready.

나는(저는)/ 준비가 돼 있어(요). (있습니다)

*That/ will be 30 dollars.

그것은/ 30 달러(가) 되겠어요. *will be: 될 거예요, 될 거야.

*It/ from here/ is two blocks

그것은/ 여기서부터/ 두 블락이에요. (두 블락 떨어져 있어요)

*It/ for three pieces/ is 5 dollars

그것은/ 세 조각에 /5 달러예요. (달러 입니다, 달러야)

*He/ of you/ is <u>very</u> proud

그 남자는/ 너를(당신을)/ 아주 자랑스러워 해(요).
(자랑스럽게 생각해요)

*I/ in a few minutes/ will be ready.

나는(저는)/ 30 분 안에/ 준비 될 거야. (될 거예요, 될 겁니다)

*Dinner/ is <u>almost</u> ready.

저녁이 거의 준비됐어(요). (됐습니다)

*It/ is <u>almost</u> done (finished).

그것은 거의 다 끝냈어(요). (끝났습니다)

*We/ are <u>almost</u> done (finished).

우리는(우린)/ 거의 끝났어(요). (끝났습니다)

*It/ is <u>nearly</u> cooked.

그것은/ 거의 요리가 다 됐다. (됐어(요), 됐습니다)

*It/ to a tiger/ is similar.

그것은/ 호랑이와(랑)/ 비슷해(요). (비슷합니다)

*The score/ is two to one.

점수가/ 2 대 1 이야. (이에요, 입니다)

*Either/ is fine.

둘 중 어느 거라도/ 괜찮아(요). *either: 둘 중의 하나, 둘 중의 어느 것 하나

*Both/ are correct.

둘 다/ 맞아(요). (맞습니다)   *both: 둘 다

*It/ with me/ is fine

그것은/ 나(저)에겐/ 괜찮아(요). (괜찮습니다)

*We/ for the meeting/ are 30 minutes late

우리는/ 미팅에/ 30 분 늦었다. (늦었어(요), 늦었습니다)

*I/ of heights/ am afraid

나는(저는)/ 높은 데가/ 무섭다. (무서워(요), 무섭습니다)

*I/ am scared.

나는/ 무서워(요).

*At first/ I/ was scared.

처음엔/ 나는(저는)/ 무서웠어(요). (무서웠습니다)

*Was it scary?

그것은/ 무서웠어(요)? (무서웠습니까?)

*I/ was embarrassed.

나는(저는)/ 당황스러웠어(요).

*He/ was lucky.

그는 운이 좋았어(요). (좋았습니다)

*I/ was impressed.

나는(저는)/ 인상 깊었어(요).

*I/ was thrilled.

나는(저는)/ 쓰릴 있었어(요).

*I/ was thirsty.

나는(저는)/ 목말랐어(요).

*It/ was dirty.

그것은/ 더러웠어(요).

*The store/ was busy.

그 가게는/ 붐볐어(요). (붐볐다, 붐볐습니다)

*I/ was a little nervous.

나는(저는)/ 조금 떨렸어(요). (초조했어(요))

*The due date/ is today.

만기일이/ 오늘이다. (오늘이에요, 오늘 입니다)

*The assignment is due next Monday.

숙제는 다음주 월요일까지 이에요. *due date: 만기일

*It is overdue.

그것은 기한이 지났어(요). *overdue: 기한이 지난

*I/ to peanuts/ am allergic

나는(저는)/ 땅콩에/ 알러지가 있어(요). (있습니다)

*Are you/ to something/ allergic?

너는(당신은)/ 어떤 것에/ 알러지가 있어(요)? (있나요?)

*It was late/ in the afternoon.

(시간이) 늦은/ 오후였어(요). (오후 늦게 였어(요))
*afternoon: 오후

S+ Verb (look, feel, smell, taste) +C : Type 2-2

*He/ healthy/ looks.

그 남자는/ 건강하게/ 보여(요). *healthy: 건강한, 건강하다

*She/ strange/ looked

그 여자는/ 이상하게/ 보였어(요). *strange: 이상한, 이상하다

*He/ sad/ looked

그 남자는/ 슬프게(슬퍼)/ 보였어(요). *sad: 슬픈, 슬프다

*You <u>look like</u> your father.

너는(당신은) 아빠 닮았어(요).

*He/ embarrassed/ felt

그는/ 당황스럽게/ 느꼈어요. (그 사람은 당황했어요)

*He/ confused/ felt

그 사람은/ 혼란스러워 했어(요).

*I/ terrible/ felt

나는(저는)/ 끔찍하게/ 느꼈어(요). (끔찍했어(요))

*I/ uncomfortable/ felt

나는(저는)/ 불편하게/ 느꼈어요. (불편했어(요))

*I/ dizzy/ felt

나는(저는)/ 어지러움을/ 느꼈어요. (어지러웠어(요))

*I am a little dizzy.

나는(저는) 좀 어지러워(요).

*It/ awful/ smells

그것은/ 끔찍한/ 냄새가 나(요). (난다, 나, 납니다) *smell:
냄새가 나다, 냄새

*It/ good/ smells

그것은/ 좋은/ 냄새가 난다. (나(요), 납니다)

*The soup/ salty/ tastes

그 스프는/ 짠/ 맛이 나요.　　*taste: 맛이 나다, 맛

*It/ sour/ tastes

그것은/ 신/ 맛이 나요. (나네요)

*It/ good (nice)/ looks

그것은 좋아/ 보여요

*It/ nasty/ looks

그것은/ 징그럽게/ 보여(요). (보인다)

*He/ familiar/ looks

그 남자는/ 낯이 익은데요. (낯이 익어 보여요) *familiar:
낯이 익은

*He/ puzzled/ looked

그 남자는/ 당황한 것처럼/ 보였어요. (어리둥절했어요)

*It sounds good.

좋아요.

S(주어)+V(동사)+O(목적어): Type 3

*I/ chocolate/ like

나는(저는)/ 초코렛을/ 좋아해(요). (좋아합니다)

*I/ money/ save

나는(저는)/ 돈을/ 저금해(요). (저금한다)

*I/ one more/ need

나는(저는)/ 하나 더/ 필요해(요). (필요하다)

*We/ credit cards/ accept

우리는/ 신용카드를/ 받아(요). (받는다)

*He/ a driving test/ took

그는(걔는-not honorific)/ 운전 면허시험을/ 봤어(요).

*I/ it/ bought

나는(저는)/ 그것을/ 샀어(요).

*I/ a taxi/ took

나는(저는)/ 택시를/ 탔어(요).

*I/ a bus/ took

나는(저는)/ 버스를/ 탔어(요).

*I/ the subway/ took

나는(저는)/ 지하철을/ 탔어(요).

*He/ a lie/ told. (He lied)

그는(개가) 거짓말을/ 했어(요).

*He/ the box/ lifted

그는(개가)/ 그 박스를/ 들어올렸어(요).

*I/ eggs/ bought

나는(저는)/ 달걀을/ 샀어(요).

*I/ dinner/ ate

나는(저는)/ 저녁을/ 먹었어요.

*He/ the door/ shut (closed)

그 남자가/ 문을/ 닫았어(요).

*I/ her/ met

나는(저는)/ 그 여자를/ 만났어(요).

*We/ lunch/ fixed

우리는/ 점심을/ 준비했어(요).

*I/ many pictures/ took

나는(저는)/)/ 사진을 많이 찍었어(요).

*It/ my finger/ bit

그것은(이)/ 내(제)손가락을/ 물었어(요). *bite: 물다

*I/ a car/ rent

나는(저는)/ 차를/ 렌트했어(요). (빌렸어요)

*I/ it/ did

나는(제가)/ 그것을/ 했어(요).

*I/ it/ right/ did

나는(저는)/ 그것을/ 제대로/ 했어(요).

*I/ it/ tasted

나는(저는)/ 그것을/ 맛봤어(요).

*I/ it/ appreciate

나는/ 그것에 대해/ 감사합니다. (고맙습니다)

*She/ the cello/ plays

그 여자는/ 첼로를/ 연주해(요).

*I/ it/ like

나는(저는)/ 그것이/ 맘에 들어(요).

*I/ work/ at 8/ start (I start work at 8.)

나는(저는)/ 일을/ 8 시에/ 시작해(요).

*I/ math (physics, chemistry, exams)/ hate

나는(저는)/ 수학을(물리를, 화학을, 시험을)/ 싫어해(요).

*I/ your help/ need

나는(저는)/ 네(당신의) 도움이/ 필요해(요).

*I/ your <u>signature</u>/ need

나는(저는)/ 네(당신의) 서명 (싸인)이/ 필요해(요).

*He/ cartoons/ draws

그 남자는(개는)/ 만화를/ 그려(요). (그립니다) *draw:
그리다

*Thousands of people/ the festival/ attend

수 천명의 사람들이/ 그 축제에/ 참석해(요).

*I/ 10 $/ paid

나는(저는)/ 10$를/ 지불했어(요).

*I/ you/ <u>back</u> later/ <u>will pay</u> (I will pay you back later.)

나는(제가)/ 너한테/ 나중에/ 갚아줄게(요). *pay back: 갚아
주다

*He/ something/ saw

그 남자는/ 뭔가를/ 봤어(요).

*He/ the box/ ripped

그는/ 박스를/ 찢었어(요).

*He/ clothes/ was folding

그 남자는/ 옷을/ 개고 있었어(요). *fold: 접다, (옷을) 개다

*I/ it/ for the first time/ ate

나는(저는)/ 그것을/ 처음으로/ 먹었어(요).

*He/ buttons on it/ pushed (pressed)

그 남자는/ 그것 위에 있는 버튼을/ 눌렀어(요). (눌렀다)

*I/ it/ once/ used

나는(저는)/ 그것을/ 한번/ 사용했어(요).

*I/ it/ a lot/ used

나는(저는)/ 그것을/ 많이/ 사용했어(요).

*I/ it/ fixed

나는(저는)/ 그것을/ 고쳤어(요).

*I/ my best/ will do

나는(저는)/ 최선을/ 다 할게(요). (할 거예요, 할 것입니다)

*I/ the same/ will do

나는(저는)/ 똑같이/ 할거야. (할 거예요, 할 것입니다)

*I/ the program/ watched (saw)

나는(저는)/ 그 프로그램을/ 봤어(요).

*He/ the door/ unlocked

그 남자는/ 문을/ 열쇠로 열었어(요).

*I/ my mind/ changed

나는(난, 저는) 마음이 변했어(요).

*I/ a poor grade/ got

나는(저는)/ 안 좋은 **점수를/** 받았어(요). (나는(저는) 시험 못 봤어(요)).

*He/ a fish/ caught

그 남자는(그 사람은)/ 물고기를/ 잡았어(요).

*I/ my dog/ walked

나는(저는)/ 내 개를/ 산책시켰어(요).

*He/ coffee/ drank

그 남자는/ 커피를/ 마셨어(요).

*I/ my car/ parked

나는(저는)/ 내(제) 차를/ 주차했어(요).

*I/ my car/ over there/ parked

나는(저는)/ 내(제) 차를/ 저기에/ 주차했어(요).

 *I/ it/ / left behind (I left it behind.)

 나는(저는)/ 그것을/ 남겨뒀어(요). *leave: 남겨두다,
남기다

*I/ a speeding ticket/ received (got)

나는(저는)/ 속도위반(speeding) 티켓을/ 받았어(요).

*I/ it/ on TV/ saw

나는(저는)/ 그것을/ TV 에서/ 봤어(요).

*I/ her/ to him/ introduced

나는(저는)/ 그 여자를/ 그 남자에게/ 소개했어(요).

*You/ have a very good memory.

당신은/ 기억력이 좋네요. (넌 기억력 좋구나)

*She/ me/ to school/ drove

그 여자는/ 나를(저를)/ 학교에/ 차로 데려다 줬어(요).

*I/ meat/ don't eat

나는(저는)/ 고기를/ 먹지 않아(요).

*I/ an internship/ found

나는(저는)/ 인턴쉽을/ 찾았어(요).

*I/ my smartphone/ lost

나는(저는)/ 내(제)스마트 폰을/ 잃어버렸어(요). *lose: 잃어버리다

*He/ the driving test/ failed

그 사람은/ 운전면허시험에/ 떨어졌어(요). *fail: 실패하다, (시험에) 떨어지다

*I/ lunch/ skipped

나는(저는)/ 점심을/ 걸렀어(요). (점심 안먹었어(요)) *skip: 거르다,

*She/ the school/ attends

그 여자는/ 그 학교에/ 다녀(요). *attend: 참가하다, ~에 다니다

*I/ a problem/ have got

나는(저는)/ 문제가/ 있어(요).

*I had a good time there.

나는(저는) 거기서 재미 있었어(요).

*You/ did a good job.

너는(당신은) 잘했어(요).

  *I/ my pockets/ checked

나는(저는)/ 내(제) 주머니를/ 뒤졌어(요). (뒤져봤어요)

*I got mosquito bites.

나는(저는)/ 모기 물렸어(요).

*I/ got a haircut.

나는(저는)/ 머리 잘랐어(요). (나 머리 잘랐어)

*I got a cold.   I caught a cold.

나는(저는)/ 감기 걸렸어(요).

*I/ just/ got/ some <u>scratches</u>.

나는(저는)/ 단지/ 스크래치만 약간 났어(요). *some: 약간

*The first-place winner/ a car/ gets

일등은 차를 받아(요).

*Did you/ a pill/ take?

너는(당신은)/ 약/ 먹었어(요)? (너는 약 먹었니?) *pill: 약, 알약

*I/ everything/ tried

나는(저는)/ 다/ 해봤어(요). (난 다 해봤어)

*You/ money (time)/ save

너는(당신은)/ 돈을(시간을)/ 절약해(요). (절약한다, 절약합니다)

86

*He/ glasses/ is wearing.

그 사람은/ 안경을/ 쓰고 있어(요).

*I/ the cover/ removed

나는(제가)/ 덮개를/ 제거했어(요).

*She/ me/ told. (She/ to me/ talked)

그 여자가/ 나(저)에게/ 말했어(요).

*I/ it /in the freezer/ put

나는(저는)/ 그것을/ 냉동 칸에/ 넣었어(요).

*I/ in the second half/ scored a goal

나는(저는)/ 후반에/ 득점을 했어(요). *score a <u>goal</u>: <u>득점을</u> 하다

*I/ it/ harder/ pushed

나는(저는)/ 그것을/ 더 세게/ 밀었어(요).

*I/ it/ outside/ will take

내가(제가)/ 그것을/ 밖으로/ 가지고 갈게(요).

*I/ him/ home/ took

나는(저는)/ 그 **애를/** 집으로/ 데려갔어(요).

*Only one thing/ him/ troubled

오직 한가지가/ 그 남자를/ 힘들게 했어(요).

*You/ it/ on your left/ can find

그게 네(당신) 왼쪽 편에 있어(요). (너는/ 그것을/ 왼쪽 편에서(왼쪽 편에서 그것을)/ 찾을 수 있어요)

*You/ in the sun/ sunglasses/ must (have to) wear

너는(당신은)/ 햇빛에선/ 썬글래스를/ 써야 해(요).

*I/ him/ in the library/ saw

나는(저는)/ 그 사람을/ 도서관에서(도서관에서 그 사람)/ 봤어(요).

*He/ at the Olympics/ a gold medal/ won

그 남자는/ 올림픽에서/ 금메달을/ 땄어(요).

*I/ my swimsuit/ will get.

내가/ 내 수영복을/ 가져올게(요).

*She/ her son/ hugged

그 여자는/ 자기 아들을/ 껴안았어(요).

*He/ her/ teased

걔는/ 그 여자애를/ 놀렸어(요).

*He/ his allowance/ saved

그 애는/ 자기 용돈을/ 저축했어(요).

*We/ it / for a pillow/ used

우리는/ 그것을/ 베개로/ 사용했어(요).

*I/ it/ can handle

내가(제가)/ 그것을/ 해낼 수 있어(요). (다룰 수 있어요)

*Can I have Tuesday off?

제가/ 화요일을/ 쉴 수 있나요?

*He/ his turn/ took

그 사람은/ 자기 차례를/ 했어(요).

*I/ with my husband /took turns driving.

(I took turns driving with my husband.)

나는(저는)/ 내 남편이랑/ 교대로 운전을 했어(요). *take
turns: 교대로 하다

*I/ in class/ had a headache

저는/ 수업 중에/ 머리가 아팠어요. *have a headache:
머리가 아프다

*Can you hear me?

들리니? (내 말 들려?) (제 말 들리세요?)

*She has a fever.

그 여자애는 열이 있어(요). *fever: 열

*I/ one more/ need

나는(저는)/ 하나 더/ 필요해(요).

*It/ hours/ will take

그것은/ 몇 시간이/ 걸릴 거야. (거예요)

*It/ took 3 days.

3 일 걸렸어(요).

*I/ today/ hurt myself.

나는(저는)/ 오늘/ 다쳤어(요).   *hurt oneself: 다치다

*I/ bad/ burned myself

저는/ 심하게/ 데었어요. *burn oneself: 데다

*She/ her ankle/ hurt

그 여자는(걔는)/ 발목을/ 다쳤어요.

*I cut myself.

나는(저는) 칼에 베었어(요).   *cut oneself: 칼에 베다

*I've got an idea.

저한테 생각이 있어요.

*Do you have any ideas?

너는 어떤 생각이 있니? (당신은 무슨 생각이 있으세요?)

*I/ the box/ wrapped

내가(제가)/ 그 박스를/ 쌌어(요).

*I/ yesterday/ her/ saw

저는/ 어제/ 그 여자를/ 봤어요.

*Our team/ the game/ won

우리 팀이/ 그 게임을/ 이겼어(요).

*Did you/ an internship/ find?

너는(당신은)/ 인턴자리를/ 찾았어(요)?

*He/ the garbage can/ knocked over.

그 애가/ 쓰레기통을/ 엎었어(요). *knock over: 엎다

*It/ one point/ earns

그것은(그러면)/ 1 점을/ 따(요). (땁니다, 얻어요)

*I/ piano lessons/ took

나는(저는)/ 피아노 레슨을/ 받았어(요).

*I did the dishes.

내가(제가) 설거지를 했어(요).

*Did you do the dishes?

너는(당신은) 설거지를 했어(요)?

*I have an appointment with a doctor.

나는(저는) 병원 예약이 있어(요). *appointment: 예약,
doctor: 의사 *have an appointment: 예약이 있다

*I/ him/ spotted

나는(저는)/ 그 사람을/ 찾았어(요).

*We/ the glass/ with water/ filled

우리가/ 그 잔을/ 물로(물로 그 잔을)/ 채웠어(요).

*I/ from the ATM/ cash/ withdrew

나는(저는)/ ATM 기계에서/ 현금을/ 인출했어(요).

*I/ with it/ the table/ covered

나는(저는)/ 그것으로/ 테이블을(테이블을 그것으로)/ 덮었어(요).

*I/ a hamburger for lunch/ had (ate)

나는(저는)/ 햄버거를/ 점심으로(점심으로 햄버거를)/ 먹었어(요).

*I/ to him/ the problem/ explained

나는(저는)/ 그 남자에게/ 그 문제를/ 설명했어(요).

*I/ with my friends/ basketball/ played

나는(저는)/ 내 친구랑/ 농구를/ 했어(요).

*You/ on your right/ KB bank/ will see

너의(당신의) 오른편에 KB 은행이 있어(요).

*I/ at Sam Sung/ a job interview/ had

나는(저는)/ 삼성에서/ 잡 인터뷰를/ 했어(요).

*He/ from his teachers/ permission/ got

그 남자는/ 자기 선생님으로부터/ 허락을/ 받았어(요).

94

*I/ a <u>trip</u> to U.S/ am planning (I am planning/ to travel/ to U.S.)

나는(저는)/ 미국으로 여행 갈/ 계획하고 있어(요).

*I/ with my friend/ tonight/ have plans

나는(저는)/ 친구랑/ 오늘 밤(오늘밤 친구랑)/ 약속이 있어(요).

*I/ on the table/ a note/ found

나는(저는)/ 테이블 위에서/ 메모를(메모를 테이블 위에서)/ 봤어(요). (발견했어(요))

*He/ on your desk/ a note/ left

그 사람이/ 네(당신) 책상 위에/ 메모를 (메모를 네 책상 위에)/ 남겨놨어(요).

*He/ for a different reason/ it/ did

그 사람은/ 다른 이유로(다른 것 때문에)/ 그것을/ 했어(요).

*I/ at home/ it/ left

나는(저는)/ 집에/ 그것을(그것을 집에)/ 놔뒀어(요).

*He/ into the air/ it/ threw

그 남자는/ 공중에/ 그것을(그걸)(그걸 공중에)/ 던졌어(요).
*throw: 던지다

*I/ it/ can't afford

나는(저는)/ 그것을 할만한/ 여유가 없어(요). *afford: ~할
여유가 있다

*Visitors/ costumes/ can rent

방문객들은/ 의상을(카스튬을)/ 빌릴 수 있어(요).

*It/ like a person/ skin/ has (It has a skin like a person.)

그것은/ 사람처럼/ 피부가/ 있어(요). (피부를 가지고
있어(요))

not: ~하지 않다, ~이 아니다, ~하지 않는다, 없다

*It is not <u>that</u> big.

그것은 그렇게 크진 않아(요). (안 커요)

*It is not <u>that</u> far.

그것은 그렇게 멀지 않아(요). (안 멀어요)

*I am not interested.

나는(저는) 관심이 없어(요) *interested: 관심이 있는

*I am not tired.

나는(저는) 피곤하지 않아(요). (안 피곤해요)

*I am not hungry.

난(전) 배고프지 않아(요). (배 안 고파요)

*I am not so sure.

나는(저는) 아주 확신하지 않아(요). (않습니다) (저는 잘 몰라요)

*That's not it.

그것은 그게 아니야. (아니에요)

*It is not fair.

그것은 공평하지 않아(요). (않습니다)

*It wasn't clean.

그것은 깨끗하지 않았어(요)

*It wasn't easy.

그것은 쉽지 않았어(요).

*It wasn't big.

그것은 크지 않았어(요).

*It wasn't cold

날씨가 춥지는 않았어(요).

*It wasn't heavy.

그것은 무겁지는 않았어(요).

*It wasn't expensive

그것은 비싸지 않았어(요).

*It is not moving.

그것은 움직이지 않고 있어(요).

don't, doesn't, didn't

*don't, doesn't: ~~하지 않다 (않아요, 않습니다, 않는다)

 didn't: ~하지 않았다 (않았어(요), 않았습니다)

*I/ his phone number/ don't know

나는(저는)/ 그 사람 전화번호를/ 몰라(요).

*I/ a dog/ don't have   *dog: 개

저는 개 안 키워요 (**나는(저는)** 개(가) 없어(요).) *I have no change. (난(전) 잔돈이 없어(요).   *change: 잔돈

*I/ time/ didn't have

나는(저는)/ 시간이/ 없었어(요).

*I/ very often/ don't go to the movies.

나는(저는)/ 아주 자주/ 영화 보러 가지 않아(요). (안가요)
*go to the movies: 영화 보러 가다

*I/ horror movie/ don't like.

나는(저는)/ 공포 영화를/ 좋아하지 않아(요). (안 좋아해(요))

*I/ that way/ don't think

난/ 그런 식으로/ 생각하지는 않아요. (그렇게 생각 안 해요)

*It/ doesn't cost a lot.

그것은/ 비용이 많이 들지 않아요. (안 들어요)

*I/ the piano/ well/ don't play

나는(저는)/ 피아노를/ 잘/ 치지 못해(요).

*I/ meat/ don't eat.

나는(저는)/ 고기를/ 먹지 않아요. (안 먹어요)

*I/ coffee/ don't drink

나는(저는)/ 커피를/ 마시지 않아요. (안 마셔요)

*I/ usually/ breakfast/ don't eat

나는(저는)/ 보통/ 아침을/ 먹지 않아(요). (안 먹어요)

*I/ exactly/ don't know

난(저는)/ 정확히/ 몰라(요).

*It/ very often/ doesn't happen.

그것은/ 아주 자주/ 일어나지 않아요. (안 일어나요)

*I/ every day/ don't do exercise

나는/ 매일/ 운동하지는 않아요. (안 해요)

*last night/ It didn't rain

어젯밤/ 비가 오지 않았어요. (안 왔어요)

*My alarm clock/ didn't go off.

내(제) 알람 시계가/ 울리지 않았어(요). (안 울렸어요) *go
off: (시계가) 울리다

*yesterday/ I/ to the post office/ didn't go.

어제/ 나는(저는)/ 우체국에/ 가지 않았어(요). (안 갔어요)

*I didn't go see a doctor.

난(전) 병원에 가지 않았어요. (안 갔어요) *go see a doctor:
병원에 가다

*I/ her/ didn't see.

나는(저는)/ 그 **여자를/** 보지 않았어(요). (못봤어요)

*last night/ I didn't sleep well.

어젯밤/ 나는(저는) 잠을 잘 자지 못했어(요). (나는 어젯밤 잠을 잘 못 잤어요.)

*He/ the window/ didn't break

그 애가/ 그 창문을/ 깨지 않았어(요). (안 깼어요)

*I/ to the beach/ didn't go

난(전)/ 해변에/ 가지 않았어(요).   (안 갔어요)

*I/ the work/ yet/ didn't finish

나는(저는)/ 그 일을/ 아직/ 끝내지 않았어요. (안 끝냈어요) (아직 그 일을 ~~)

*I/ the book/ didn't read

나는(저는)/ 그 **책을/** 읽지 않았어요. (안 읽었어요)

*I/ anything wrong/ didn't do.

나는(저는)/ 아무 잘못도/ 하지 않았어요. (안 했어요)

103

*He/ a lot/ didn't talk

그는/ 많이/ 말하지 않았어(요). (말을 많이 하지 않았어요)

*I don't have an idea.

나는(저는) 모르겠는데(요). (몰라(요))

*I/ that/ didn't get

난(전)/ 그것을/ 못 알아 들었어(요). (저는 이해를 못했어요.)

*I/ anything/ didn't do

나는(저는)/ 아무것도/ 하지 않았어(요). (안 했어요)

*I/ the exact number/ don't know

나는(저는)/ 정확한 숫자를/ 몰라(요). (알지 못해요)

*I/ it/ don't mind

나는(저는)/ 그것에/ 신경 쓰지 않아(요). (안 써(요))

*I/ that/ didn't know

나는(저는)/ 그것을/ 몰랐어(요). (알지 못했어요)

S+V+I.O(Indirect object)+D.O(Direct object) : Type4

*I/ him/ pizza/ made (I made pizza for him.)

나는(저는)/ 그에게(개한테)/ 피자를/ 만들어 주었어(요).
(줬어(요))

*I/ him/ a cell phone/ bought (I bought a cell phone for him)

나는(저는)/ 그에게/ 셀 폰을/ 사 주었어(요). (사줬어(요))

*I/ him/ the concert ticket/ gave

나는(저는)/ 그에게/ 콘서트 티켓을/ 주었어(요). (줬어(요))

*I/ him/ a drink/ got (I got a drink for him.)

나는(저는)/ 그에게/ 음료수를/ 갖다 주었어(요). (줬어(요))

*I/ him/ my pictures/ showed (I showed my pictures to him.)

나는(저는)/ 그에게/ 내 사진을/ 보여주었어(요). (보여
줬어(요))

*I/ him/ his phone number/ asked (I asked his phone number of him.)

나는(저는)/ 그에게/ 그의 전화 번호를/ 물어 보았어(요). (봤어(요))

*I/ him/ an email/ sent (I sent an email to him.)

나는(저는)/ 그에게/ 이메일을/ 보냈어(요).

*I/ him/ the truth/ will tell (I will tell the truth to him.)

나는(저는)/ 그에게/ 사실을/ 말할 거야. (거예요)

*I/ him/ some money/ lent (I lent some money to him.)

나는(저는)/ 걔한테/ 돈을/ 빌려 주었어(요). (줬어(요))

*me/ the salt/ Pass

저에게/ 소금을/ 건네 주세요. (소금 좀 건네 주세요. (건네 줘))

*I/ him/ the message/ will give

제가/ 그분에게(그 사람한테)/ 메시지를/ 전해 줄게(요).

*I/ him/ my car/ lent

나는(저는)/ 그에게(그 사람한테)/ **내(제)** 차를/ 빌려
주었어(요). (줬어(요))

*She handed/ it/ to the clerk.

그 여자가/ 그것을/ 점원에게(한테)/ 건네 주었어(요).

*I/ some sandwiches for him/ made

나는(저는)/ 샌드위치를 그 애한테 / 만들어줬어(요).

*I/ it/ to him/ gave

나는(저는)/ 그것을/ 그 애한테/ 주었어(요). (줬어(요))

*I/ it/ for you/ will get

내가(제가)/ 그것을(그걸)/ 너(당신)에게/ 갖다 줄게(요).

*I/ a text message/ to him/ sent

나는(내가)/ 문자 메시지를/ 그 사람한테/ 보냈어.

*He/ to us/ math/ taught

그 남자는/ 우리에게/ 수학을/ 가르쳤어(요)

*I/ her/ a ride home/ gave

나는(제가)/ 그 여자를**/** 집에 까지 차 태워/ 주었어(요).

*I/ him/ the idea/ told

나는(저는)/ 그 사람에게/ 그 아이디어를**/** 말했어(요).

*It/ you/ a lot of time/ saves

그것은/ 너에게(당신에게)/ 많은 시간을(시간을 많이)/
절약하게 해줘(요).

S+V+O+O.C: Type 5

*We/ him/ a genius/ call (We call him a genius.)

우리는 그를 천재라고 해. (천재라 불러(요))

*I/ the book/ useful/ found (I found the book useful.)

나는(저는, 전)/ 그 책이/ 유익하다는 것을(걸)/ 알았어(요).

*I/ the book/ (to be) useful/ think

나는(저는)/ 그 책이/ 유익하다고/ 생각해(요).
(생각하는데(요)) (내(제) 생각엔 그 책이 유익해(요))

*It/ me/ nervous/ made

그것 때문에 내(제)가 초조했어(요). (그것이/ 나를/
초조하게/ 만들었어)

*It/ me/ upset/ made

그것 때문에 내(제)가 화가 나(요). (그것이/ 나를/ 화나게/
했어(만들었어))

*I/ it/ frozen/ kept

나는(저는)/ 그것을(그걸)/ 냉동으로/ 보관했어(요).

*I/ it secret/ will keep

내가(제가)/ 그것을(그걸)/ 비밀로/ 할게(요).

*me/ Leave alone.

나를(저를)/ 내버려 둬(요). (놔둬)   *leave alone: (홀로)
놔두다

*His snoring keeps me awake.

그 사람이 코골아서 내(제)가 잠을 못 자(요).

*I/ you /to go there/ want

나는(저는)/ 네가(당신이)/ 거기에 갔으/면 좋겠어(요).
*want: ~하면 좋겠다, ~을 원하다, ~하고 싶다

*I/ you/ to go there/ don't want

나는/ 네가(당신이)/ 거기 가는 것을/ 바라지 않아(요).

(나는 네가(당신이) 거기 가지 않으면 좋겠어(요).)

110

*I/ you/ to come with me/ want

나는/ 네가(당신이)/ 나(저)와 함께 가/면 좋겠어(요).

*I / you/ to listen carefully/ want

나는/ 네가/ 주의 깊게 들으/면 좋겠어.

*I/ him/ to stay here/ want

나는(저는)/ 그가/ 여기 있으/면 좋겠어(요). (머무르면
좋겠어(요))

*I/ you/ to leave early/ want

나는(저는)/ 네가(당신이)/ 일찍 떠났으/면(갔으면)
좋겠어(요).

*Do you/ me/ to do this/ want?

너는(당신은)/ 내(제)가/ 이걸 했으/면 해(요)? (하세요)

*I/ him/ to come over/ asked

나는(전)/ 그 사람한테/ 건너오라고/ 했어(요). (부탁했어(요))
*ask: 부탁하다, 요청하다

*I/ him/ to join us/ asked

나는(제가)/ 그 사람에게/ 우리한테 합류하라고/ 했어(요).

*I/ him/ to go see a doctor/ advised

나는(제가)/ 그에게/ 병원에 가보라고/ 했어(요).

*I/ him/ to think twice/ advised

내가(제가)/ 그 사람한테/ 두 번 생각하라고/ 했어(요).
*advise: ~하라고 충고하다

*I/ him/ to call me/ asked

나는(저는)/ 그 사람에게/ 나(저)한테 전화하라고/
부탁했어(요).

*I/ him/ to take pictures/ asked

나는/ 그 사람한테/ 사진 찍어 달라고/ 부탁했어요. *take
pictures: 사진 찍다

*I/ him/ to arrive soon/ <u>expect</u>

난/ 그 사람이/ 곧 올 것(도착할 것)/ 같은데요. *soon: 곧,
expect: 기대하다

*He/ me/ to use his computer/ allowed

그 사람이/ 내(제)가/ 자기 컴퓨터를 사용하는 것을/ 허락했어(요). (그 사람이/ 나(저)보고/ 자기 컴퓨터 사용하라고/ 했어요)

*I/ him/ to come in/ allowed

난(전)/ 그 사람에게/ 들어오라고/ 했어(요).

*She/ me/ to tell the truth/ asked

그 여자는/ 나에게(나한테, 저에게)/ 사실을 말하라고/ 부탁했어(요).

*I/ him /to stop/ told

나는/ 그 사람에게(한테)/ 그만 하라고/ 말했어요.

*him/ to call me/ Tell

그에게/ 나한테(저에게) 전화하라고/ 말해(요).   *tell: 말하다

*He/ me/ to go there/ told

그 사람이/ 나에게/ 거기 가라고/ 말했어요.

*Will you/ me/ find it/ help

너는(당신은)/ 내가/ 그것 찾는 것을/ 도와줄래(요)?

*I/ for you/ to come/ will wait (I will wait for you to come.)

나는(난)/ 네가 오는 걸/ 기다릴게.

*I/ for you/ to text me/ waited (I waited for you to text me.)

나는(저는)/ 네가(당신이)/ 나(저)에게 문자 보내기를/ 기다렸어(요).

*I/ for you/ to finish/ will wait

난/ 네가(당신이)/ 끝내기를(끝날 때까지)/ 기다릴게(요).

*I/ for you/ to finish eating/ will wait

난/ 네가(당신이)/ 다 먹을 때까지 (먹는 것 끝날 때까지)/ 기다릴게(요). *finish eating: 다 먹다

*I/ you /wash the vegetable/ can help

나는/ 네가/ 야채 씻는 것을/ 도와 줄 수 있어(요).

not +to do: ~하지 마라고, ~하지 않도록

*He/ me/ <u>not to go</u> there/ told

그 분이/ 내가(제가)/ 거기에 가지 마라고/ 말했어(요).

*He/ me/ <u>not to wait</u> for her/ told

그 사람이/ 내가(제가)/ 그 여자를 기다리지 마라고/ 말했어(요).

*He/ me/ <u>not to be late</u> for the meeting/ asked

그 남자가/ 내가(제가)/ 미팅에 늦지 마라고/ 부탁했어요.

*He/ tourists/ <u>not to feed</u> the bears/ asked

그 사람이/ 여행객들이/ 곰에게 음식을 먹이지 마라고/ 부탁했어요.

*<u>Tell him</u> /not to come here.

그 사람에게(한테)/ 여기 오지 마라고/ 말해(라). (말하세요)

*Tell people/ not to touch the stuff.

사람들에게/ 그 물건을 만지지 마라고/ 말해(라). (말하세요)

*Tell them/ not to buy anything.

그들에게/ 아무 것도 사지 마라고/ 말해. (말하세요)

*Tell her /not to worry about it.

그 여자에게/ 그것에 대해 걱정하지 마라고/ 말하세요. (말해)

*Tell her/ not to go there.

그 여자에게/ 거기에 가지 마라고/ 말하세요. (말해)

get A to B: A 가 B 하게 하다

*I/ him/ to leave here/ got (I got him to leave here.)

나는(저는)/ 그 사람이/ 여기를 떠나게/ 했어요.

*I/ him/ to stop/ got (I got him to stop)

나는(저는)/ 그 사람이/ 그만 하게(두게)/ 했어(요).

*I/ him/ to say that he was sorry/ got

나는(저는)/ 그가/ 미안하다고 말하게/ 했어(요).

*I/ him/ to wear the helmet/ got

나는(저는)/ 그가/ 헬멧을 쓰게/ 했어(요).

*I/ him/ to introduce Mark to Jane/ got

나는(저는)/ 그에게/ 마크를 제인에게 소개해 주라고
했어(요).

make: ~하게 하다, 시키다, let: ~하게 놔두다, ~하게 하다

*She/ me/ clean my room/ made

그 여자가/ 내가(제가)/ 내 방을 청소하게/ 했어(요).

*He/ the car/ move/ made

그 사람이/ 차가/ 움직이게/ 했어(요).

*How/ did he / the car/ move/ make?

어떻게/ 그 사람이/ 차를/ 움직이게/ 했어(요)?

*What makes you think so?

왜 그렇게 생각해(요)? (뭐가/ 네가/ 그렇게 생각하게/ 하는데?)

*Mom/ me/ sleep until 10/ let (Mom let me sleep until 10.)

엄마는/ 내가(제가)/ 열 시까지 자도록(자게)/ 놔뒀어(요).

*I/ you/ know later/ will let

내가(제가)/ 너(당신)에게 나중에 알려 줄게(요).

*I/ you/ how to play/ will let know

내가/ 너에게(당신에게)/ 플레이 하는 방법을/ 알려줄게(요).

have(had)+O+ P.P: ~하게 하다, 당하다

*I had my wallet stolen. (My wallet was stolen.)

난(전) 내(제) 지갑을 도난 당했어(요).

*I had my hair cut. (I got a haircut.)

난(저는) 머리 잘랐어(요).

*I had my car washed.

난(저는) 세차 했어(요).

*I had my wisdom tooth pulled out.

난(저는) 사랑니 뽑았어(요).

*Where/ did you have your car fixed?

어디서/ 차 고쳤어(요)? [I had my car fixed (repaired). 나는 (저는) 차 고쳤어(요).]

*Where/ are you going to have your car fixed?

어디서 차 고치려고 해(요)?

see, hear, feel, watch +O+O.C

*I/ her/ waiting for a bus/ saw

나는(저는)/ 그 여자가/ 버스를 기다리는 것을/ 보았어(요).
(봤어요)

*I/ him/ meet Helen/ saw

나는(저는)/ 그 사람이/ 헬렌을 만나는 것을(걸)/ 보았어(요).
(봤어)

*I/ the man/ coming in/ saw

나는(저는)/ 그 남자가/ 들어오고 있는 것을(걸)/ 봤어(요).

*I/ somebody/ knock the door/ heard

나는(저는)/ 누군가/ 문을 두드리는 것을(걸)/ 들었어(요).
*knock: (문)을 두드리다

*I/ him/ come in/ didn't hear

나는(저는)/ 그가(개가)/ 들어오는 것을(걸)/ 듣지 못했어(요).
(못 들었어요)

*I/ her/ get into the car/ saw

나는(저는)/ 그 여자가/ 차에 타는 것**을(걸)/** 봤어(요).

*I/ him/ play/ watched

나는(저는)/ 그가/ 플레이 하는 것**을(걸)/** 봤어(요).

*I/ him/ getting ready/ watched

나는(저는)/ 그가/ 준비하고 있는 것**을(걸)/** 봤어(요).

*I/ him/ check out/ watched

나는(저는)/ 그가(걔가)/ 체크 아웃하는 것**을(걸)/** 봤어(요).

will +verb, will not(won't)

*will +verb: ~할 것이다, ~할 거야 (할 거예요, 할 게요) * will not(won't): ~하지 않을 거예요 (거야, 겁니다)

*<u>Maybe</u>/ it/ will help.

아마도/ 그것이/ 도움이 될 거야. (될 거예요)

*I/ will try.

내가(제가)/ 해볼게(요).   *try: 해보다, 시도하다

*I/ about that/ will think

나는(제가)/ 그것에 대해/ 생각해 볼게(요). (보겠습니다)
*think: 생각하다, 생각해보다

*I/ there/ will be

내가(제가)/ 거기에/ 갈게(요). (가겠습니다)

*I/ out/ will stay

내가(제가)/ 밖에/ 있을게(요). (제가 ~ 있겠습니다)

*I/ you/ will call back

내가(제가)/ 너(당신)에게/ 다시 전화할게(요). (전화
하겠습니다) *call back: 다시 전화하다

*You/ <u>just</u> fine/ will do

너는/ 그냥 잘/ 할 거야. (당신은~잘 할 거예요)

*tomorrow/ I/ you/ will call

내일/ 내가(제가)/ 너(당신)에게/ 전화할게(요). (내가 내일 ~)

*later/ I/ it/ will do

나중에/ 내가(제가)/ 그것을/ 할게(요). (내가 나중에~)

*I/ it/ for you/ will carry

내가(제가)/ 그것을(그걸)/ 들어줄게(요). (날라 줄게(요))

*I/ it/ to her/ will give

내가(제가)/ 그것을(그걸)/ 그 여자애한테/ 줄게(요).

*I/ <u>won't go out.</u>

나는(저는)/ 나가지 않을 거야. (거예요) (안 나갈 거예요)

124

*I/ there/ <u>won't be (go)</u>

나는(저는)/ 거기에/ 가지 않을 거야. (거예요) (안 갈 거예요)

Probably/ you/ it/ <u>won't see</u>

아마도/ 너는(당신은)/ 그것을(그걸)/ 못 볼 거예요.

*for Christmas/ I/ home/ <u>won't be (go)</u>

크리스마스에(때)/ **나는/** 집에/ 가지 않을 거야. (안 갈 거야)
(저는 크리스마스 때 집에 가지 않을 거예요. (안 갈 거예요))

*I/ here/ <u>won't stay</u>

나는(저는)/ 여기에/ 있지(머무르지) 않을 거야. (안 있을
거예요)

*We / his sacrifice/ <u>won't forget</u>

우리는/ 그의 희생을/ 잊지 않을 거예요. (안 잊을 거예요)

*I/ it/ <u>won't do</u>

나는(저는)/ 그것을/ 하지 않을 거야. (거예요) (안 할 거예요)

*I/ won't give up.

나는(저는)/ 포기하지 않을 거야. **(거예요)**

*I/ you/ <u>won't let down</u>

나는(저는)/ **너를(당신을)/** 실망시키지 않을 거야. **(거예요)**

*It/ long/ <u>won't take</u>

그것은/ 오래/ 걸리지 않을 거야. **(안 걸릴 거예요)** *take:
시간이 걸리다

Will you ~? , Would you ~? : (네가)~할래?

*will you/ it/ do? (Would you~~?)

네가(당신이)/ 그것을/ 할래(요)? (하실래요?, 하시겠습니까)

*Will you/ the window/ close? (Would you~~?)

네가(당신이)/ 창문을/ 닫을래(요)? (닫아 주실래요?)

*tomorrow/ will you/ with me/ have a date?

내일/ 당신은/ 저랑/ 데이트 할래요?   *have a date: 데이트
하다

*will you/ come over? (Would you~?)

**네가(당신이)/ 건너 올래(요)? (건너 오실래요, 건너
오시겠습니까?)**   *come over: 건너오다

*will you/ to my house (place)/ come?

네가(당신은)/ 우리 집에/ 올래(요)?

*will you/ spaghetti/ order?

너는(당신은)/ 스파게티를/ 주문할래(요)? (주문 하실래요?)

*will you/ it/ for me/ carry?

네가(당신이)/ 그것을(그걸)/ 들어다 줄래(요)? (날라
줄래(요)?)

*will you/ me/ help?

네가(당신은)/ 나(저)를/ 도와줄래(요)? (저를 도와
주시겠습니까?)

*will you/ with me/ stay?

너는(당신은)/ 나(저)랑(나와 함께, 나와 같이)/ 있을래(요)?

*will you/ for me/ wait?

네가(당신이)/ 나(저)를/ 기다릴래(요)? (기다리시겠습니까?)

*will you/ with me/ go out?

네가(당신은)/ 나(저)랑 같이/ 나갈래(요)?

*will you/ there/ be?

네가(당신이)/ 거기에/ 갈래(요)? (가실래요?, 가시겠습니까?)

128

*<u>tomorrow morning</u> will you/ home/ be?

내일 아침에/ 네가(당신이)/ 집에/ 올래(요)?

*will you/ me/ give a ride?

네가(당신이)/ 나(저)를/ 차 태워 줄래(요)? (주실래요?)

*would you/ me/ home/ take? (Would you take me home?)

네가(당신이)/ 나(저)를/ 집에/ 데려다 줄래(요)? (주실래요?, 주시겠습니까?)

*will you/ me/ marry?

당신이/ 저랑/ 결혼해 주실래요? (주시겠습니까?)

*will you/ her/ about it/ tell?

네가(당신이)/ 그 여자에게(그 여자한테)/ 그것에 대해/ 말할래(요)?   (말해주시겠습니까?)

*When/ will you/ here/ come?

언제/ 너는(당신은)/ 여기에/ 올래(요)? (너는 언제~~)

*How long/ will you/ stay?

얼마나 오랫동안/ 너는(당신은)/ 있을래(요)?

*When/ will you/ home/ be?

언제/ 너는(당신은)/ 집에/ 올래(요)? (너는 언제~~)

*will you/ what/ order? (What will you order?)

넌(당신은)/ 뭘/ 주문할래(요)? (당신은 ~주문하실래요?)

*When/ will you/ come over?

언제/ 너는(당신은)/ 건너 올래(요)? (너는 언제 ~~?) *come over: 건너 오다)

*When/ will you/ to my house/ come?

언제/ 너는(당신은)/ 내 집에/ 올래(요)? (너는 언제 ~~?)

*tomorrow morning/ what time/ will you/ get up?

내일 아침/ 몇 시에/ 너는(당신은)/ 일어날래(요)? (너는~)

*will you/ her/ about it/ what/ tell? (What will you tell her about it?)

넌(당신은)/ 그 여자에게/ 그것에 대해/ 뭐라고/ 말할래(요)?
130

present tense, past tense

1. present tense (현재 시제): (~해, ~한다, ~해요, ~합니다)

2. present negative (현재 부정문): ~하지 않아(요), ~하지 않습니다, 안 해요, 안 합니다)

3. present interrogative (현재 의문문): (~하니?, ~하나요?, ~합니까?)

4. 현재 진행형(present progressive): (~하고 있어(요), ~하고 있습니다)

5. present progressive negative (현재진행 부정문): (~하고 있지 않아(요), ~하고 있지 않습니다, 안하고 있어요)

6. present progressive interrogative (현재 진행의문문): (~하고 있니?, ~하고 있어(요)?, ~하고 있습니까)

7. past tense (과거시제): (~했다, ~했어(요), ~했습니다)

8. past negative (과거 부정문): (~하지 않았어(요), 안 했어요)

9. past interrogative (과거 의문문): (~했니?, 했어(요)?, 했습니까?)

10. past progressive (과거 진행형): (~하고 있었어(요), ~하고 있었습니다)

11. past progressive negative (과거 진행 부정문): (~하고 있지 않았어(요), ~하고 있지 않았습니다, 안 하고 있었어(요)

12. past progressive interrogative (과거진행 의문문): (~하고 있었니?, ~하고 있었어(요)?, ~하고 있었습니까?)

*Sometimes we express 'progressive tense' as 'simple tense'.

*In Korean, we sometimes express 'present progressive' as 'present tense' and 'past progressive' as 'past tense'.

*every night/ I/ TV/ <u>watch</u> (I watch TV every night.)

매일 밤/ 나는(저는)/ TV 를/ 봐(요). (나는(저는) 매일 밤`~) (present tense)

*during the day/ I/ TV/ <u>don't watch</u>

낮 동안엔/ 나는(저는)/ TV 를/ 보지 않는다. (않아요) (나는 낮 동안에는 TV 를 안 봐요) (present negative)

*in your free time/ Do you/ TV/ watch?

여가 시간에/ 당신은/ TV 를/ 봅니까? (보나요?) (너는 여가 시간에 ~ 보니? (봐?)) (present interrogative)

*I/ TV/ am watching.

난(저는)/ TV 를/ 보고 있어(요). (TV 봐요) (present progressive)

*now/ I/ TV/ am not watching

지금/ 나는(저는)/ TV 를/ 보고 있지 않아(요). (안보고 있어요) (나는 지금~~) (TV 안 봐요) (present progressive negative)

*are you/ TV/ watching?

너는(당신은)/ TV 를/ 보고 있어(요)? (TV 봐요?) (present progressive interrogative)

*last night/ I/ TV/ watched.

어젯밤에/ 나는(저는)/ TV 를/ 봤어(요). (past tense)

*I/ TV/ didn't watch

난(전)/ TV 를/ 보지 않았어(요). (TV 안 봤어요) (past negative)

*Did you/ TV/ watch?

너는(당신은)/ TV/ 봤어(요)? (past interrogative)

*then/ I/ TV/ was watching

그때/ 나는(저는)/ TV 를/ 보고 있었어(요). (봤어요.)(past progressive)

*then/ I/ TV/ was not watching

그때/ 나는(저는)/ TV 를/ 보고 있지 않았어(요). (안 보고 있었어요) (안 봤어요) (past progressive negative)

*were you/ TV/ watching?

너는(당신은)/ TV 를/ 보고 있었어(요)? (TV 봤어요?) (past progressive interrogative)

be +verb+ ing (progressive)

*am, are, is+verb+ ing: ~하고 있다(있어, 있어요, 있습니다)
*was, were+verb+ ing: ~하고 있었다(있었어, 있었어요,
있었습니다)

*In Korean, we sometimes express 'present progressive' as
  'present tense' and 'past progressive' as 'past tense'.

*I am coming (I am on my way.)

나(저는) 가고 있어(요).

*Are you coming?

오고 있어(요)?

*I am almost there.

거의 다 왔어(요).

*outside/ it is raining

밖에/ 비가 오고 있어(요). (비가 와요)

*now/ it is raining?

지금/ 비가 오고 있어(요)? (비가 와요?)

*then/ it was raining?

그때/ 비가 오고 있었어(요)?

*I/ home/ am going

나는(저는)/ 집에/ 가고 있어(요). (집에 가요)

*I/ home/ was going

나는(저는)/ 집에/ 가고 있었어(요). (있었습니다)

*you are moving?

너는/ 이사하고 있니? (이사해?, 이사하니?)

*you/ the movie/ are enjoying?　*enjoy: 재미있게 즐기다

너는(당신은)/ 영화/ 재미있어요?

*My finger/ is bleeding.

내(제) 손가락이/ 피가 나고 있어(요). (피가 나요)
*bleed: 피가 나다

*I/ just/ am looking.

나는(저는)/ 그냥/ 보고 있어(요). (그냥 봐요)

*My neighbor/ him/ is taking care of

내(제) 이웃사람이/ 그 애를/ 돌보고 있어(요). (돌봐요)

*I/ music/ am listening to

나는(저는)/ 음악을/ 듣고 있어(요). (음악 들어요)

*You/ Susie/ are waiting for?

너는(당신은)/ 수지를/ 기다리고 있어(요)? (기다려요?)

*He/ is peeing.

그 남자애는/ 오줌 싸고 있어(요). (오줌 싸요)

*You/ fine/ are doing

너는(당신은)/ 잘/ 하고 있어(요).

*It/ late/ is getting.

그것이/ 늦어/ 지고 있어(요). (늦어져요)

*It/ better/ is getting

그것은/ 더 좋아/지고 있어(요). (좋아져요)

*It/ worse/ is getting

그것은/ 더 나빠/지고 있어(요). (나빠져요) *bad: 나쁜,
나쁘다, get worse: 더 나빠지다

*It/ bigger/ is getting

그것은/ 더 커/지고 있어(요). (커져요) *big: 크다, get
bigger: 더 커지다

*It/ more exciting/ is getting

그것은/ 더 흥미진진해/ 지고 있어(요).

*It/ smaller/ is getting

그것은/ 더 작아/지고 있어(요). (작아져요) *small: 작은,
작다, get smaller: 더 작아지다

*It/ warmer/ is getting

날씨가/ 더 따뜻해/ 지고 있어(요). (따뜻해져요)

*It/ hotter/ is getting

날씨가/ 더 더워/지고 있어(요). *hot: 뜨겁다, 뜨거운,
더운/ get hotter: 더 더워지다, 더 뜨거워지다

*It/ colder/ is getting

날씨가/ 더 추워지고/ 있어(요). *cold: 춥다, 추운, 차갑다, 차가운 *get colder: 더 추워지다, 더 차가워지다

*It/ cooler/ is getting.

날씨가/ 더 시원해/지고 있어(요). *cool: 시원한/ get cooler: 더 시원해지다

*It/ more serious/ is getting

그것은/ 더 심각해/지고 있어(요). *serious: 심각한

*I/ a shower/ am taking

나는(저는)/ 샤워/ 하고 있어(요). (샤워해요)

*They/ basketball/ are playing

그들은(개내들은)/ 농구를/ 하고 있어(요). (농구해요)

*She/ with Mark/ is talking

그 여자는/ 마크랑/ 말하고 있어(요).

*She/ a bag/ is carrying

그 여자는/ 가방을/ 들고 있어(요).

*He/ outside/ is staying

그 남자는/ 밖에/ 있어(요).

*He/ something/ was doing

그 사람은/ 뭔가를/ 하고 있었어(요). (있었습니다)

*I/ a shower/ was taking.

나는(저는)/ 샤워/ 하고 있었어(요). (샤워해요)

*I/ a nap/ was taking

나는(저는)/ 낮잠/ 자고 있었어(요). (낮잠 잤어(요)) *take a nap: 낮잠 자다

*She/ her make-up/ is putting on

그 여자는/ 화장을/ 하고 있어(요). (화장해요) *put on make-up: 화장하다

*I/ my book/ am looking for

나는(저는)/ 내(제) 책을/ 찾고 있어(요). (책 찾아요)

*I am starving.

나는(저는) 배고파 죽겠어(요).

140

have (has) to

*have to(~해야 한다), had to(~해야 했다), don't have to (~할 필요가 없다), didn't have to (~할 필요가 없었다), do I have to (제가 ~할 필요가 있어요?), did I have to (제가 ~할 필요가 있었어요?), will have to (~해야 할 거예요), won't have to (~할 필요가 없을 거예요), will I have to (제가 ~해야 할까요?)

*here/ I/ have to stay

여기에/ 나는(저는)/ 있어야 (머물러야) 해(요). (나는 여기에 있어야 해.)

*here/ do I/ have to stay? (Do I have to stay here?)

여기에/ 내가(제가)/ 있어야 해(요)? (내가 여기에 ~)

*here/ I/ don't have to stay

여기에/ 나는(저는)/ 있을 (머무를) 필요가 없어(요). (나는 여기에 ~)

*here/ I/ had to stay

여기에/ 나는(저는)/ 있어야 했어(요). (나는 여기에 ~)

*here/ I/ didn't have to stay

여기에/ 나는(저는)/ 있을 (머무를) 필요가 없었어(요.

*here/ I/ won't have to stay

**여기에/ 저는/ 있을(머무를) 필요가 없을 거예요. (저는
여기에~)**

be going to

*am (are, is) going to (~ 하려고 한다, ~할 예정이다), was (were) going to(~하려고 했었다), are(is) going to(~하려고 해요?, ~할 예정이세요?), Were(was) going to~(~하려고 했어요?), am(is, are) not going to~(~하지 않으려 해요, 안 하려고 해요), was (were)not going to(~하지 않으려 했어요, 안 하려고 했어요)

*here/ I/ am going to stay

여기에/ 나는(저는)/ 있으려고 해(요). (합니다) (나는 여기에 ~)

*here/ I/ am not going to stay

여기에/ 나는(저는)/ 있지 않으려고 해(요). (나는(저는) 여기에 안 있으려고 해(요))

*here/ are you/ going to stay?

여기에/ 너는(당신은)/ 있으려고 해(요)? (너는 여기에 ~) (하세요?, 하십니까?)

*here/ I/ was going to stay.

여기에/ 나는(저는)/ 머무르려고(있으려고) 했어(요). (나는 여기에 ~)

*here/ I/ was not going to stay

**여기에/ 나는(저는)/ 있지 않으려 했어(요). (나는(저는)
여기에 안 있으려고 했어(요))**

*here/ you/ were going to stay?

**여기에/ 너는(당신은)/ 머무르려고 했어(요)? (했습니까?)
(너는 여기에 ~?)**

*Why/ you/ here/ are going to stay?

왜/ 너는(당신은)/ 여기에/ 머무르려고 해(요)? (하세요?)

*How long/ you/ here/ are going to stay?

**얼마나 오래/ 너는(당신은)/ 여기에/ 머무르려고 해(요)?
(하세요?)**

*Where/ you/ are going to stay?

어디에/ 너는(당신은)/ 머무르려고 해(요)? (하세요?)

had better

had better: ~하는 게(것이) 나아요, ~하는 편이 나아요. (낫다, 낫습니다, 좋겠어(요))

*You/ here/ had better stay

너는(당신은)/ 여기에/ 있는 게(것이) 나아(요). (여기에 너는~~)

*You/ it/ had better change

너는(당신은)/ 그것을/ 바꾸는 편이 나아(요).

*now/ You/ your project/ had better do

지금/ 너는(넌)(당신은)/ 네(당신의) 프로젝트를/ 하는 편이 나아요. (너는 지금~~)

*You/ for it/ had better be prepared.

넌(당신은)/ 그것에 대해/ 준비하는 것이 좋겠어(요).

*You/ had better watch out

넌(당신은)/ 조심하는 것이 좋겠어(요).

*You/ it/ <u>had better make clear</u>

넌(당신은)/ 그것을/ 확실히 하는 것이 나아(요).

*You/ it/ <u>had better do</u>

넌(당신은)/ 그것을(그걸)/ 하는 편이(하는 게) 나아(요).

*You/ an umbrella/ <u>had better take.</u>

넌(당신은)/ 우산을/ 가져가는 게 좋겠어(요).

*You/ to it/ <u>had better pay attention</u>

넌(당신은)/ 그것에/ 주의를 기울이는 게 좋겠어(요).　*pay attention: 관심을 두다, 주의를 기울이다

had better not: ~하지 않는 게(것이) 나아요

*had better not: ~하지 않는 게(것이) 나아요, ~하지 않는 편이 나아요. (낫다, 낫습니다, 좋겠어(요))

*You/ out/ had better not go

넌(당신은)/ 밖에/ 나가지 않는 것이(게) 좋겠어(요). (밖에 안 나가는 게~)

*You/ it/ had better not waste

넌(당신은)/ 그것을/ 낭비하지 않는 게 좋겠어(요). *waste: 낭비하다

*You/ it/ too often/ had better not do

넌(당신은)/ 그것을/ 너무 자주/ 하지 않는 편이 나아(요). (자주 안 하는 게~)

*You/ so/ had better not say.

넌(당신은)/ 그렇게/ 말하지 않는 게 좋겠어(요). (그렇게 말 안 하는 게~)

*He/ anything/ had better not say

그 사람은/ 아무것도/ 말하지 않는 게 나아(요). (그 사람이 아무 말도 안 하는 게 나아(요))

*You/ it/ had better not mention

너는(당신은)/ 그것을/ 언급하지 않는 게 나아(요).
*mention: 언급하다

*You/ cable bills/ had better not include

넌(당신은)/ 케이블 비용을/ 포함시키지 않는 게 나아(요).
*include: 포함시키다(넣다)

May I~~, Can I~~? : ~~ 해도 됩니까?

*May I~?: ~ 해도 되니? (~되나요?, 돼?, 될까요?)
*may: ~ 해도 된다, ~일지도 모른다, can: ~할 수 있다, ~해도 된다

*May I/ there/ go? (May I go /there?)

내가(제가)/ 거기에/ 가도 되(요)? (됩니까?)

*Excuse me. May I/ to the bathroom/ go?

실례합니다, 제가/ 화장실에/ 가도 됩니까?

*May I/ look around?

내가(제가)/ 주위를 둘러봐도 돼(요)? (둘러봐도 될까요?)
*look around: 주위를 둘러보다

*May I/ here/ sit?

내가(제가)/ 여기에/ 앉아도 돼(요)? (됩니까?)

*May I/ Science's blog/ suggest?

내가(제가)/ 사이언스 블로그를/ 제안해도 돼(요)? (될까요?)

*May I/ it/ to school/ take?

내가(제가)/ 그것을/ 학교에/ 가져가도 돼(요)?

*May I/ this/ keep?

내가(제가)/ 이걸(이것을)/ 가져도 돼(요)?

*May I/ come in?

내가(제가)/ 들어가도 돼(요)? (될까요?)

*May (Can) I help you?

(What can I do for you?) (How can I help you?)

뭘 도와드릴까요?   *예(yes), 아니요, 괜찮아요(No, thanks)

* May I/ ask a question?

제가/ 질문을 해도 돼(요)? (됩니까?) *ask a question: 질문(을) 하다

*May I/ your passport and boarding pass/ see?

당신의 여권과 보딩 패스를 보여주세요. (내가/ 너의 여권과 보딩 패스(비행기표)를/ 봐도 돼?)

*Can I/ your umbrella/ borrow? (May I borrow your umbrella?)

내가/ 너의 우산을/ 빌려도 돼? (제가 ~빌려도 될까요?)

*Can I/ it/ sooner/ rent out?

내가(제가)/ 그것을/ 더 빨리/ 세놓을 수 있을 까(요)?

*Can I/ still/ it/ use?

내가(제가)/ 아직도/ 그것을/ 사용할 수 있을까(요)?

*Can I/ Tuesday/ off have? (Can I have Tuesday off?)

내가(제가)/ 화요일을/ 쉴 수 있어(요)? (있나요?)

*Can I/ honestly/ this/ to anyone/ recommend?

내가(제가)/ 솔직히/ 이것을/ 누구에게나/ 추천해도 될까(요)? (돼?, 됩니까?)

*May I/ when/ it starts/ ask?

제가/ 언제/ 그것이 시작하는지/ 물어봐도 돼(요)? (될까요?)

When making a phone call

*May I/ to Jane/ speak? (Can I speak to Jane?)

(전화 통화에서) **제인 있어요? (제가 제인과 통화할 수 있나요?)**

*This is she. This is he

전데요.

*Hold on a minute. (Wait a moment, Wait a minute)

잠깐 기다리세요.

*Who is calling?   *Who are you calling?

누구세요? (누구신데요?, 누구십니까?)   누구 찾으세요?

*May I/ a message/ take? (May I take a message?)

전할 말 있나요? (제가/ 전할 말을/ 받을 까요?)

*Can I/ a message/ leave?

말 좀 전해주실래요? (제가/ 메시지를/ 남겨도 될까요?)

Shall we~?, Shall I~

*Shall we~? : 우리가 ~할까요? (할까?), Shall I~: 내가 ~ 할까요? (할까?)

*Shall we go?

우리(가) 갈까(요)?

*Shall we dance?

우리(가) 춤출까(요)?

*Shall we go in?

우리(가) 들어 갈까(요)? *go in: 들어가다

*Shall we start?

우리(가) 시작할 까요?

*Shall we go on?

우리(가) 계속 할까요?

*Shall we play a game?

우리(가) 게임을 할까요?   *play a game: 게임을 하다

*Shall we eat out?

우리(가) 외식 할까요?   *eat out: 외식하다

*Shall we/ together/ travel?

우리(가)/ 함께/ 여행 갈까요?

*Shall we/ at six/ meet?

우리(가)/ 6 시에/ 만날까요?

*next/ <u>Where shall we go</u>?

다음에/ 우리(가) 어디로 갈까요?

*next/ What shall we do?

다음에/ 우리가 무엇을 할까요?

*now/ What shall we do?

지금/ 우리가 무엇을 할까(요)? (우리가 지금~)

*from now on/ What shall we do?

지금부터/ 우리(가) 무엇을 할까요?

*What time/ shall we meet?

몇 시에/ 우리(가) 만날까요? (우리(가) 몇 시에 만날까요?)

*Where/ shall we go?

어디로/ 우리(가) 갈까요? (우리(가) 어디로 갈까요?)

*Shall I/ you/ call back? (Shall I call you back?)

내가(제가)/ 너(당신)에게/ 다시 전화할까(요)?   *call back: 다시 전화하다 (call: 전화하다)

*Shall I begin?

제가 시작할까요?

*Shall I/ it/ wrap up?

제가 그것을(그걸)/ 포장해/ 드릴까요?

*Shall we stop now/ and take a 10 minute-break?

지금 그만하고/ 10 분 쉴까요?   *Let's: 그럽시다, 그러자

would like to +do

*would like(want): 원하다, ~하고 싶다

*I/ a townhouse/ would like to buy

나는(저는)/ 타운하우스를/ 사고 싶어(요). (싶은데요)

*I/ more/ would like to see

나는(저는)/ 더 많이/ 보고 싶어(요).

*I/ would like to check in (check out).

나는(저는)/ 체크인을(체크 아웃) 하고 싶어(요).

*I/ it/ would like to try on.

나는(저는)/ 그것을 /입어보고 싶어(요).

*I/ a ticket for New York/ would like to buy

나는(저는)/ 뉴욕 가는 (뉴욕행) 티켓을/ 사고 싶어(요).

*I/ a bus for New York / would like to take

나는(저는)/ 뉴욕 가는 버스를/ 타고 싶은데(요).

*I/ education/ would like to study

나는(저는)/ 교육학을/ 공부하고 싶어(요).

*I/ the conference/ would like to attend

나는(저는)/ 그 컨퍼런스를/ 참가하고 싶은데(요).

*I/ a reservation/ would like to make

나는(저는)/ 예약을/ 하고 싶은데(요).

*I/ with <u>something simple</u>/ would like to start

나는/ 간단한 것을 가지고/ 시작하고 싶어(요). *simple: 간단한, 단순한

*I/ my reservation/ would like to confirm

나는/ 내 예약을/ 컨펌하고 싶은데(요).

*I/ your driver's license/ would like to see

나는/ 당신의 운전 면허증을/ 보고 싶은데요. (운전 면허증 보여주세요.)

*I/ from you/ <u>would like to hear</u>

연락하세요. (나는/ 당신으로부터/ 소식을 듣고 싶어요.)

Would you like to~~?

*would you like to: 너는(당신은)~하고 싶어(요)?

*you/ a message/ Would like to leave?

전할 말 있으세요? (당신은/ 메시지를(메모를)/ 남기고
싶으세요?) (남길래(요)?, 남기실래요?) *leave: 남기다,
떠나다

*you/ me/ Would like to join? (Would you like to join
me?)

당신은/ 저랑/ 같이하고 싶으세요? (싶어요?) (나랑 같이 하고
싶니? (싶어))

*you/ the regulation/ Would like to see?

너는(당신은)/ 그 규정을/ 보고 싶어(요)?

*you/ with him/ Would like to speak?

당신은/ 그 남자랑/ 말하고 싶어요?

*you/ any suggestions/ Would like to give?

당신은/ 어떤 제안을/ 하고 싶으세요?

*you/ the article/ Would like to see?

당신은/ 그 기사를/ 보고 싶으세요?

*you/ these/ Would like to receive?

당신은/ 이것을/ 받고 싶으세요?

*you/ What kind of work/ would like to do?

너는(당신은)/ 어떤 종류의 일을/ 하고 싶어(요)? *kind:
종류

*you/ What/ would like to have?

너는(당신은)/ 뭘/ 먹고 싶어(요)?

*some water/ Would you like?

물 먹고(마시고)/ 싶으세요? (싶어요?)

*some juice/ Would you like?

주스 먹고(마시고)/ 싶으세요? (싶어요?)

*some coffee/ Would you like?

커피 마시고 싶으세요? (싶어요?)

*some candy/ Would you like?

캔디 먹고/ 싶으세요? (싶어요?)

*a more detailed explanation/ would you like?

더 자세한 설명을/ 원하세요?

Imperative (명령문)

*ahead/ Go (you go first)

먼저/ 가세요. (먼저 하세요)

*Excuse me.

실례합니다.

*in line/ Stand. (Line up)

줄/서(세요).

*in line/ Wait.

줄 서서/ 기다려(요). (기다려라, 기다리세요)

*a moment / Wait. (Wait a second, Hold on, Give me a second)

잠깐만/ 기다려(요). (기다려 주세요)

*Give me a hand. (Help me)

도와줘(요). (도와주세요, 도와 주십시오)

*it/ Leave

그것을 /놔둬(요). (놔두세요)

*like that/ Leave

그렇게/ 놔둬(요). (그렇게 놔두세요)

*to me/ Listen

내 말/ 들어(요). (들으세요)

*Watch out! (Look out!)

조심해(요). (조심하세요)

*here/ Wait

여기에서/ 기다려(요). (기다리세요)

*for me/ Wait

나를(저를)/ 기다려(요). (기다려 주세요)

*Pay attention!

주목해(요). (주목하세요)

*two blocks/ Go

두 블락을/ 가(요). (가세요)

*Hurry up.

서둘러(요)!

*still/ Stand

가만히/ 서있어(요).

*left/ Turn

왼쪽으로/ 돌아(요).

*lightly/ Pack

가볍게/ 짐을 싸(요). (싸세요)

*the box/ carefully/ Wrap

그 박스를/ 조심스럽게/ 싸세요. (조심스럽게 그 박스를~)

*with care/ Handle

조심스럽게/ 다루세요.

*your coat/ Put on. (Put on/ your coat)

네(당신의) 코트를/ 입어(요). (입으세요)

*your shoes/ Take off. (Take off/ your shoes.)

신발을/ 벗어(요). (벗으세요)

*it/ Turn on.

그것을 켜(요). (켜세요)

*it/ Turn off.

그것을/ 꺼(요). (끄세요)

*the light/ Turn on. (Turn on/ the light)

불을/ 켜(요). (켜세요) (불 좀 켜세요)

*the light/ Turn off. (Turn off the light)

불을/ 꺼(요). (끄세요) (불 좀 끄세요)

*the stove/ Turn off

스토브를/ 꺼라. (끄세요)

*it/ Pick up.

그것을(그걸)/ 주우세요.

*it/ Throw away.

그것을/ 버려(요). (버리세요)

*him/ Ask

그에게/ 물어봐(요). (물어보세요)

*the money/ Pay back

그 돈을/ 갚아(요). (갚으세요)

*me/ a call/ give

나(저)에게/ 전화를/ 해줘(요). (해주세요)

*him/ Feed

그에게/ 먹이를 줘(요). (주세요)

*it/ Come and get

그것을/ 와서 가져가(요). (가져가세요)

*on 2nd avenue/ Make a right turn

2 번가에서/ 우회전 해(요).   *make a right turn: 우회전 하다

*one/ Pick.

하나를/ 골라(요).

*Open the door.

문을 열어(요)

*Close the door.

문을 닫아(요).

*Take/ your time. No rush

천천히 해(요). 서두를 필요 없어(요).

*what it is/ Guess   *what it is: 그것이 무엇인지

그것이 무엇인지/ 알아 맞춰라. (맞추세요)

*it/ right/ Do.

그것을(그걸)/ 제대로/ 해라. (해요)

*your laundry/ Do

네 빨래를 /해라. (빨래를 하세요)

*something/ Do

뭔가/ 해봐(요). (해보세요)

*it/ Do

그것을(그걸)/ 해(요). (하세요)

*me/ Call

나(저)에게/ 전화해(요). (전화하세요)

*Take it (with you). (Keep it)

그것을 가져(요).

*me/ Trust

나를(저를)/ 믿어(요)

*the charger/ Take

충전기를/ 가져가(요)

*the time/ Set

시간을/ 맞춰라. (맞춰요)

*Say goodbye

작별 인사해(요).

*the cup/ with juice/ Fill

그 컵을/ 주스로/ 채워(요). (채우세요)

*it/ to me/ Bring

그것을/ 나(저)에게/ 가져와(요).

*us/ about it/ Tell

우리에게/ 그것에 대해서/ 말해(요).

*me/ your opinion/ Give

나(저)에게/ 네(당신의) 의견을/ (말해)줘(요).

*my bag/ Watch

내(제) 가방을/ 봐줘(요).

*my seat/ Save

내(제) 자리를/ 맡아 줘(요).　　*save: 보존하다

*a seat/ Have (Take a seat.)

자리에/ 앉아(요).　　*seat: 좌석, 자리

*some rest/ Get (Get some rest)

쉬어(요). (쉬세요)　　*rest: 휴식

*Take it easy.

진정해(요).

*the instructions/ Follow

지시를/ 따라(요). (따르세요)

*Cheer up.

힘내(요).

*straight/ Go

쭈욱(곧장)/ 가라. (가세요)

*Relax.

편하게 생각해라. (생각해요, 생각하세요)

*Give up.

포기해라. (포기해요, 포기하세요)

*it/ Let go.

그것을(그걸)/ 내버려 둬라. (둬요)

*it/ Stop

그만해(요). (그만하세요)

*it/ Just do

그것을(그걸)/ 그냥 해(요). (하세요)

*here/ Look

여기를/ 봐(요). (보세요)

*down here/ Look.

여기 아래를/ 봐(요). (보세요) *down here: 여기 아래(down: 아래, here: 여기)

170

*up here/ Look

여기 위를/ 봐(요). (보세요) *up: 위

*It/ Taste.

그것을/ 맛봐(요). (맛보세요)

*here/ Get back

여기로/ 돌아와라. (돌아오세요)

*Lie down.

누워라. (누우세요, 누워(요))

*Get up.

일어나라. (일어나세요, 일어나(요))

*it/ Smell

그것을/ 냄새 맡아봐(요).

*Slow down.

천천히 해라. (해요)

*them/ Pass out.

그것을/ 나눠줘라. (나눠주세요, 나눠줘요)

*it/ Fill out.

그것을/ 작성해(요). (작성해라)

*the form/ Fill out.

그 폼을/ 작성해(요)

*me/ a discount/ Give

나에게/ 할인을/ 해줘(요). (해주세요)

*your right hand/ Raise

너의(당신의) 오른손을/ 올려(요). (올리세요, 올려라)

*him/ Send in.

그 사람을/ 들여보내(요). (들여보내세요)

*this way/ Come

이쪽으로/ 와(요). (오세요)

*Fill it up. (주유소에서)

휘발유를/ 가득 채워(요). (채우세요)

*some cookies/ Have.

쿠키를/ 먹어(요). (먹으세요)

*into two/ Divide

두 개로/ 나눠(요). (나누세요)

*back/ Move

뒤로/ 물러나(요). (물러나세요)

*backward/ Move (Back off)

뒤로 물러나(요). (물러나세요)

*forward/ Move (Come up)

앞으로 와(요). (오세요)

*the box/ Open

박스를/ 열어(요). (여세요)

*my question/ Answer.

내(제) 질문에/ 대답해(요). (대답하세요)

*these numbers/ Add up.

이 숫자들을/ 더해(요). (더하세요)

*us/ about your invention/ Tell

우리에게/ 네(당신의) 발명품에 대해/ 말해봐(요). (말하세요)

*me/ what happened/ Tell

나(저)에게/ 무슨 일이 일어났는지/ 말해봐(요). (말하세요)

*us/ what you have done/ Tell

우리에게/ 네가 해왔던 것을/ 말해봐(요). (말하세요) *What
you have done: 네가 해왔던 것

*119/ Call. Quick

119 에/ 전화해(요). 빨리

*everything/ Eat   *Come here. Come on.

모두 다/ 먹어(요).   이리 와. 어서 (빨리)

*around/ Let's look

둘레를/ 둘러 보자. (둘러봅시다)

*this/ Let's finish

이것을(이걸)/ 끝내자. (끝냅시다, 끝내죠)

*outside/ Let's go.

밖으로/ (나)가자. (나갑시다, 나가죠)

*inside/ Let's go

안으로/ (들어)가자. (들어갑시다, 들어가죠)

*a five-minute break / Let's take

5 분간의 휴식시간을/ 갖자. (가집시다, 갖죠)   *take: 가져가다, 취하다

*the street/ Let's cross.

길을/ 건너자. (건넙시다, 건너죠)

175

*everything / Let's check

모든 것을/ 점검하자. (점검합시다, 점검하죠))

*with what you can do/ Let's begin

네가 할 수 있는 것을 가지고/ 시작하자. (시작합시다)
*what you can do: 네가 할 수 있는 것

*about the results/ Let's talk.

그 결과에 대해/ 이야기 해보자. (이야기 합시다, 이야기 해보죠))

*it/ Let's accept

그것을/ 받아들이자. (받아들입시다, 받아들이죠)

*Let's move on.

(다음단계로) 옮겨가자. (옮겨갑시다, 옮겨 가죠)

*the two/ Let's compare.

그 두 개를/ 비교하자. (비교합시다, 비교해보죠)

*this/ Let's do

이것을 하자. (합시다, 해보죠)

*some recent examples/ Let's examine.

몇 개의 최근의 예를/ 조사하자. (조사합시다, 조사해보죠))
*some: 좀, 몇 개의, 약간

*Let's find out.

알아보자. (알아봅시다, 알아보죠)

*what you can do/ Let's see

네가(당신이) 무엇을 할 수 있는지/ 보자. (봅시다)

*to it/ Let's pay attention

그것에/ 주의를 기울려 보자. (보죠, 봅시다)

*the issue/ strictly/ Let's look at.

그 이슈를/ 엄밀하게/ 보자. (봅시다, 보죠)

*Let's stop.

그만하자.

Let's not~ 하지 말자

*Let's not forget

잊지 말자. (맙시다, 말죠)

*the error/ in the future/ let's not repeat

그 실수를/ 미래에는(미래엔)/ 반복하지 말자. (맙시다, 말죠)

*it/ Let's not focus on   *focus on: ~ 에 초점을 두다

그것에/ 초점을 두지 말자. (말죠, 말지요, 맙시다)

*arguing/ time/ Let's not waste

말다툼 하면서/ 시간을/ 낭비하지 말자.

*on her/ Let's not put the blame

그 여자를/ 탓하지 말자. (비난하지 말자)

*to rush/ Let's not decide

서둘러서/ 결정하지 말자. (맙시다, 말지요, 말죠)

178

Let me~: 내가 ~하게 해줘, 내가 ~할게

*let me know: 나(저)에게 알려줘(요), Let him know: 그에게 알려줘(요), Let her know: 그 여자에게 알려줘(요)

*what you need/ Let me know

네가(당신이) 필요한 것을/ 나에게(나한테) 알려줘(요).

*what you want/ Let me know

네가(당신이) 원하는 것을/ 알려줘(요).

*as soon as possible/ Let me know

가능하면 빨리/ 알려줘(요).

*you/ something/ Let me show

너에게(당신에게)/ 뭔가를/ 보여줄게(요).

*it/ Let me write down.

그것을/ 내가(제가) 받아 쓸게(요).   *write down: 받아쓰다

*Let me try

내가(제가) 해볼게(요).

*Let me choose

내가(제가) 고를게(요). 　*choose: 선택하다, 고르다

*Let me start

내가(제가) 시작할게(요).

*it/ <u>Let me do</u>

내가(제가)/ 그것을/ 할게(요).

*what happened/ Let me describe

내가(제가)/ 무슨 일이 일어났는지/ 묘사해 볼게(요)

*you two/ <u>let me give</u>

내가/ 너에게/ 두 개를 줄게

*you/ about the incident / <u>Let me tell</u>

내가(제가)/ 너에게(당신에게) 그 사건에 대해/ 말할게(요).

*you <u>why</u>/ let me tell

내가/ 너에게(당신에게) 왜 그런지(이유)를/ 말할게(요).

*you/ about it/ Let me tell

내가(제가)/ 너에게(당신에게)/ 그것에 대해/ 말할게(요).

*what you can do/ <u>let me see</u>

내가(제가)/ 네가(당신이) 뭘 할 수 있는지를/ 볼게(요).
*what you can do: 네가 뭘 할 수 있는지, 네가 할 수 있는 것

*you a few facts/ let me tell

내가(제가)/ 너에게(당신에게) 몇 가지 사실을/ 말할게(요)

*what this means/ <u>let me explain</u>

내가(제가)/ 이것이 뭘 의미 하는지/ 설명할게(요).

*with Paul and Jenny/ <u>let me talk</u> (Let me talk with Paul and Jenny)

내가(제가)/ 폴과 제니랑/ 말해 볼게(요).

imperative sentence with "be"

*Be confident!

자신감을 가져(요).

*Be patient!

참아(요).

*with your time/ Be strict

네(당신의) 시간에 대해/ 엄격히 해(요).

*Be on time.

시간 지켜(요).

*Be quiet.

조용히 해(요).

*Be careful.

조심해(요).

*Be happy!

기뻐해(요).

*Be nice.

착하게 좀 굴어.

*Be my guest.

편하게 해(요).

stop+ v+ing: 그만~해요

*Stop/ shouting.

그만/ 소리쳐(요). (그만 소리질러) *shout: 소리치다, 소리
지르다

*Stop/ talking.

그만/ 말해(요).

*Stop/ eating.

그만/ 먹어(요).

*Stop /crying.

그만/ 울어.

*Stop/ fighting.

그만/ 싸워(요).

*Stop/ looking.

그만/ 봐(요).

*Stop/ asking.

그만/ 물어봐(라).

*Stop/ smoking.

그만/ 담배 피워(요).

*Stop/ watering.

그만/ 물을 줘(요).

*the question/ Stop asking

그 질문을/ 그만 물어봐(요).

*Korean/ Stop speaking.

한국말을/ 그만 말해(요). (그만 한국말 해(요))

*that/ Stop saying

그것을/ 그만 말해(요). (그런 말 그만해(요))

*it/ Stop using

그것을/ 그만 사용해(요).

*to him/ Stop listening.

그의 말을/ 그만 들어(요).

*TV/ Stop watching

TV/ 그만 봐(요). (그만 TV 봐라)

*that stuff/ Stop buying

그 물건을/ 그만 사(요). (그만 그 물건 사라)

*her/ Stop teasing

그 여자를/ 그만 괴롭혀(요). (그만 그 애를 괴롭혀라)

*her/ Stop doubting

그 여자를/ 그만 의심해(요). (그만 그 여자를 의심해)

*about that/ Stop worrying.

그것에 대해/ 그만 걱정해(요). (그만 그것에 대해 걱정해)

*me/ Stop squeezing

나를(저를)/ 그만 쥐어짜(요). (그만 나를 쥐어 짜)

keep+ verb +ing: 계속 ~하다

*(Just) keep going. (Go on!)

(그냥) 계속해(요). *keep: 계속하다, 보관하다, 유지시키다

*Keep talking. (I'm listening)

계속 말해(요). (난(전) 듣고 있어(요))

*Keep waiting.

계속 기다려(요). (기다리세요)

*Keep clicking.

계속 클릭해(요). (클릭하세요)

*Keep watering.

계속 물을 줘(요). (주세요)

*Keep smiling.   *Keep trying.

계속 미소 지어(요).   계속 시도해(요). (시도하세요)

negative imperative sentence (부정 명령문)

*Never mind.

신경 쓰지 마(요). (마세요)

*Don't worry.

걱정하지 마(요). (마세요)

*outside/ Don't go

밖에/ 나가지 마(요). (마세요)

*your name/ Don't leave

네(당신의) 이름을/ 남기지 마(요)(마세요)

*that/ Don't do

그것을/ 하지 마(요). (그러지 마세요)

*that/ Don't say.

그런 말 하지마. (마세요).

*it/ seriously/ Don't take

그것을/ 심각하게/ 받아 들이지 마(요). (마세요)

*Don't make any noise.

시끄럽게 하지 마세요. *noise: 소음, 시끄러운 소리

*Don't miss out.

놓치지 마세요.

*late/ Don't be

늦지 마(세요).

*sorry/ Don't be.

미안해/ 하지 마. (마세요).

*shy/ Don't be.

부끄러워/ 하지 마. (마세요)

*like me/ Don't be

나처럼/ 되지 마. (마세요)

*surprised/ Don't be

놀라지 마. (마세요)

*silly/ Don't be

바보짓 하지 마(요).

*embarrassed/ Don't be

당황하지 마. (마세요)

*disappointed/ Don't be

실망하지 마. (마세요)

*fooled / Don't be

속지 마. (마세요)

*mad/ Don't be.

화내지 마. (마세요)

it: weather, date, day of the week, time, distance

*It is a beautiful day.

날씨가 아주 좋네(요).

*It is sunny.

(날씨가) 맑아(요).

*It is foggy.

안개가 꼈어(요).

*It is stormy

(날씨가) 폭풍우가 쳐(요).

*It is cloudy

(날씨가) 흐려(요).

*It is a bit <u>chilly</u> out there.

밖이 약간 추워요. (쌀쌀해요)

*What's the <u>forecast</u> like for tomorrow?

내일 날씨 예보가 어떻게 되요? (돼?)

*It is cold <u>out there</u>.

밖이 추워(요).

*It's raining. Take an umbrella.

비가 와(요). 우산 가져가(요).

*It's windy.

바람이 불어(요).

*It's hot and humid.

덥고 습해(요).

*It rained a lot.

비가/ 많이/ 왔어(요).   *rain: 비가 오다, a lot: 많이

*Here/ it rains a lot (It rains a lot here.)

여기는/ 비가 많이 와(요).

*Last night/ it snowed a lot (It snowed a lot last night)

어젯밤/ 눈이 많이 왔어(요).

*Outside/ It is raining (It is raining outside.)

밖에/ 비가 오고 있어(요).

*at the time/ It was raining (It was raining at the time.)

그때/ 비가 오고 있었어(요).

*It/ to rain/ began (it began to rain)

(날씨가) 비가 오기를 시작했어(요). *begin: 시작하다

*It stopped raining.

비가 멈췄어(요).   *stop: 멈추다

*It is going to snow.   *snow: 눈, 눈이 오다

눈이 올 것 같아(요). (눈이 오려고 해요)

*It was going to snow.

눈이 올 것 같았어(요).

*It is going to rain.

비가 올 것 같아(요). (비가 오려고 해요)

*Outside/ it is dark (It is dark outside.)

밖이/ 어두워(요).

*from here/ It is far (It is far/ from here.)

여기서/ 거리가 멀어(요).

*today/ What day is it (What day is it today?)

오늘은/ 무슨 요일이에요?   (무슨 요일이야)

*It is 5:30.

(시간이) 다섯 시 삼십 분이야. (이에요)

*to leave/ It is time. (It is time to leave.)

갈(떠날)/ 시간이다. (시간이야, 시간이에요, 시간입니다)

*to go to bed/ It is time (It is time to go to bed.)

잠자러 갈/ 시간이다 *go to bed: 잠자러 가다

*to go to school/ it is time (It is time to go to school)

학교 갈 시간이다 *go to school: 학교에 가다

*to say goodbye/ It's time.

헤어질/ 시간이다.

*Who is she?

그 여자는 누구야? (누구예요?, 누굽니까?)

*Who are you?

너는 누구니? (당신은 누구세요?)

*Who/ here/ lives?

누가/ 여기에/ 살아(요)?

*Who/there/ went?

누가 거기에/ 갔어(요)?

*Who is in charge?

누가 책임자니? (책임자 입니까?, 책임자 인가요?)

*Who/ is your <u>favorite</u> singer?

누가/ 네가(당신이) 가장 <u>좋아하는</u> 가수이니? (가수예요?)

*Who/ is taller?

누가 (키가) 더 크니? (커?, 큰가요?, 크나요?)

*Who/ it/ did?

누가/ 그것을/ 했어(요)? (했니?, 했나요?)

*Who/ him/saw?

누가/ 그 사람을/ 봤어(요)? (봤나요?)

*Who/ the accident/ saw?

누가/ 그 사건을/ 봤어(요)?, (봤니? 봤나요?)

*Who/ it/ made?

누가/ 그것을/ 만들었어(요)? (만들었나요?)

*Who/ the window/ broke?

누가/ 창문을/ 깼어(요)? (깼니?, 깼나요?)

*Who/ it/ found?

누가/ 그것을/ 발견했어(요)?

*Who/ the answer/ knows?

누가/ 답을/ 알아(요)? (아나요?, 압니까?) (답을 아는 사람 누구입니까?)

*Who knows?

누가 알겠니? (아무도 모른다)

*Who/ that/ said?

누가/ 그것을/ 말했어(요)? (누가 그렇게 말했니?)

*Who/ there/ <u>wants to go</u>?

누가/ 거기에/ 가고 싶어 해(요)? (싶어합니까?)

*Who/ her/ took care of?

누가/ 그 애를/ 돌봤어(요)? (돌봤습니까?)

*Who/ her/ was taking care of?

누가/ 그 애를/ 돌보고 있었어(요)?

*Who/ the airplane/ invented?

누가/ 비행기를/ 발명했어(요)?

*Who/ is she talking to?

누구에게/ 그 여자는 말하고 있어(요)? (그 여자는 누구에게 말하고 있어요?)

*Who/ it/ turned on?

누가/ 그것을/ 켰어(요)? (켰습니까?)

*Who/ it/ to you/ gave?

누가/ 그것을/ 너에게(당신에게)/ 줬어(요)? (줬습니까?)

*Who/ are you calling?

(전화에서) 누구 찾으세요? , 누구 바꿔드릴까요?

*Who do you/ to go <u>there</u>/ want?

너는(당신은) 누가/ 거기에 가기를/ 원해(요)?

*Who/ did you/ the ticket/ give? (Who did you give the ticket?)

누구에게/ 너는(당신은)/ 티켓을 줬어(요)? (너는 누구에게 ~)

*Who/ are you/ going with?

누구랑/ 너는(당신은)/ 가려고 해(요)? (너는 누구랑 ~)

what: 무엇, 무슨, 뭐

*What's wrong? (What's the matter?, What's going on?)

무슨 일이야? (무슨 일이에요?)

*What's next?

다음에 뭐야? (뭐예요?, 뭡니까?, 뭔가요?)

*What's <u>for lunch</u>?

점심으로 뭐야? (뭐예요?, 뭡니까?, 뭔가요?) (점심으로 뭘 먹어요?)

*What is your <u>major</u>?

네(당신의) 전공이 뭐니? (뭐야?, 뭐예요?, 뭡니까?, 뭔가요?)

*What/ did you do?

너는(당신은) 뭐했어(요)? (무엇을(뭘) 했니?)

*What/ did you say?

너는(당신은)/ 무슨 말했니? (뭐라고 말했어(요)?)

*you/ What/ are doing?

너는(당신은)/ 무엇을(뭐)/ 하고 있어(요)? (있습니까?)

*do ants/ What/ eat? (What do ants eat?)

개미는/ 무엇을(뭘)/ 먹어(요)? (먹죠?, 먹습니까?)

*What does it <u>mean</u>? (*What do you mean?)

그게 무슨 뜻이야? (뜻이에요?) (무슨 말이야?) *mean: 의미하다, 뜻하다

*What/ hiccup/ causes? (What causes hiccup?)

왜 딸꾹질을 하나요? (뭐가/ 딸꾹질을/ 하게 해요?)

*What makes/ people/ sneeze?

왜 재채기를 합니까? (뭐가 사람이 재채기하게 해요?)

*she/ What/ is wearing?

그 여자는/ 무엇을(뭘)/ 입고 있어(요)? (있나요?, 있습니까?)

*you/ What/ are making?

너는(당신은)/ 무엇을(뭘)/ 만들고 있어(요)? (있습니까?)

*the e-mail/ What/ does say?

그 이메일이/ 뭐라고/ 쓰여 있어(요)? (쓰여 있나요?)

*you/ what /would like to order?

너는(당신은)/ 무엇을(뭘)/ 주문 하고 싶어(요)?   *order: 주문하다

*you/ What/ <u>would like to eat</u>?

너는(당신은) 무엇을(뭘)/ 먹고 싶어(요)? (싶습니까?)

*you/ for dessert/ what/ would like?

너는(당신은)/ 디저트로/ 무엇을(뭘)/ 먹고 싶어(요)? (싶습니까?)

*What/ can I do/ for you? (May I help you?)

뭘 도와 드릴까요?

*you/ for lunch /What/ did have (eat)?

너는(당신은)/ 점심으로/ 무엇을(뭘)/ 먹었어(요)? (먹었습니까?)

*you/ him/ What/ did give?

너는(당신은)/ 그 사람에게/ 무엇을(뭘)/ 줬어(요)?
(줬습니까?)

*he/ What / did choose? (What did he choose?)

그는/ 무엇을(뭘)/ 골랐어(요)? (골랐습니까?)

*Did she/ <u>instead of</u> it/ What/ bring?

**그 여자가/ 그것 대신에/ 무엇을(뭘)/ 가져왔어(요)?
(왔습니까?)**

*Are you/ What/ looking at?

너는(당신은)/ 무엇을(뭘)/ 보고 있어(요)? (당신은 무엇을
보고 있습니까?)

*Are you/ What/ laughing at?

너는(당신은)/ 뭘/ (보고) 웃고 있어(요)?

*Are you/ What/ looking for?

너는(당신은)/ 무엇을(뭘)/ 찾고 있어(요)?

*What do you want me to do?

너는(당신은) 내가 무엇을(뭘) 했으면 하니? (하세요?)

*that/ <u>What program</u> is? (What program is that?)

그것은/ 어떤 프로그램이니? (~이에요?,~입니까?)

*What kind of food is it (that)?

그것은 어떤 종류 음식이니? (음식이에요?, 음식이야?, 음식입니까?)

*<u>What kinds of food</u>/ were there?

어떤 종류 음식이/ 있었어(요)? (있었습니까?) *kind: 종류, there is, there are: ~이 있다

*you/ What kind of food/ do like?

너는(당신은)/ 어떤 종류 음식을/ 좋아해(요)? (좋아합니까?)

*Did you/ to her/ What kind of books/ recommend?

너는(당신은)/ 그 여자에게/ 어떤 종류의 책을/ 권했어(요)? (추천했어요?)

*the shirt/ What size is?

그 셔츠는 무슨 사이즈이니? (사이즈가 뭐야?, ~뭐예요?,
~뭡니까?)

*Did he/ What problem/ have?

그 사람은/ 어떤 문제가/ 있었어(요)?

*Do you/ What movie/ want to see?

너는(당신은)/ 무슨 영화를/ 보고 싶어(요)? (싶으세요?,
싶습니까?)

*Did he/ What two things / do?

그는(그 사람은)/ 어떤 두 가지 일을/ 했어(요)? (했습니까?)

*What time is it?

몇 시니? (몇 시예요?, 몇 시입니까?)

*What time/ it/ does start?

몇 시에/ 그것은/ 시작해(요)? (그것은 몇 시에 시작합니까?)

*What time/ did you go downtown?

몇 시에/ 너는(당신은)/ 시내에 갔어(요)? (너는 몇 시에 ~?)

204

*What time/ did it/ happen?

몇 시에/ 그것은/ 일어났어(요)? (그것은 몇 시에~?)

*last night/ What time/ did you/ sleep?

어젯밤에/ 몇 시에/ 너는(당신은)/ 잤어(요)? (어젯밤에 너는 몇 시에 잤어?) (너는 어젯밤 몇 시에~)

*What time/ for you/ is convenient?

몇 시가/ 너한테(당신한테)/ 편해(요)? (당신에게 몇 시가 편하세요?)

*What time/ shall we make it?

몇 시로/ 우리가 정할까(요)?

*What time/ did you/ there/ go?

몇 시에/ 너는(당신은)/ 거기에/ 갔어(요)? (너는 몇 시에~~)

*What time/ did you/ do it?

몇 시에/ 너는(당신은)/ 그것을/ 했어(요)? (너는 몇 시에 ~~?)

*What time/ did you/ her/ meet? (What time did you meet her?)

몇 시에/ 너는(당신은)/ 그 여자를/ 만났어(요)? (너는 몇 시에 ~~?)

*What time/ did you/ her/ the book/ give?

몇 시에/ 너는(당신은)/ 그 여자에게/ 그 책을/ 줬어(요)? (너는 몇 시에~~?)

*What do you think?

어떻게 생각해(요)?

*What do you think <u>about this</u>?

<u>이것에 대해</u> 어떻게 생각해(요)?

*What is the movie about?

그 영화는 무엇에 관한 거예요? (~거야)   *about: 관한, 관해서

*What was the story about?

그 이야기는 무엇에 관한 거였어(요)?

*What time/ did you/ her/ to do it/ ask? (What time did you ask her to do it?)

몇 시에/ 너는(당신은)/ 그 여자가/ 그것을 하라고/ 부탁했어(요)?

*What/ do you need it for?

너는(당신은) 무엇 때문에 그것이 필요해요? (필요한가요?, 필요합니까?)

*did you/ to earn money/ What/ do?

너는(당신은)/ 돈을 벌기 위해/ 무엇을 했어(요)? (했습니까?)
*earn money, make money: 돈을 벌다

*What does it look like? (What is it like?)

그것은 어떻게 생겼어(요)? (그것은 무엇처럼 보여(요)?)
*look like: ~처럼 보이다

*What if I go there?

만약 내가(제가) 거기에 간다면 어떻게 돼(요)?

which: 어느 것

*Which/ is yours?

어느 것이/ 당신 것이에요? (네 것이야?)

*Which/ is the longest river?

어느 것이/ 가장 긴 강이야? (이에요?)

*Which/ is more expensive?

어느 것이/ 더 비싸(요)?

*Which/ is better?

어느 것이/ 더 좋아(요)?

*Which/ is older?

어느 것이/ 더 오래됐어(요)?

*Which is bigger?

어느 것이 더 큰가(요)? (커(요)?)

*Which way/ shall we go?

어느 길로/ 우리가 갈까(요)? (우리가 어느 길로 갈 까(요)?)

*Which/ do you/ like better/, pizza or hamburger?

어느 것을/ 너는(당신은)/ 더 좋아해(요), 피자 또는 햄버거 중에서? (너는 피자나 햄버거 중에서 어느 것을 더 좋아해(요)?)

*Which mountain/ is the highest?

어떤 산이/ 가장 높아(요)?

*Which expression is correct?

어떤 표현이 맞아요?

*Why is that?

왜 그래(요)? (그건 왜 그래(요)?)

*Why/ is he upset?

왜/ 그는 화났어(요)? (그는 왜~?)

*Why/ did you / it/ <u>do?</u>

왜/ 너는(당신은)/ 그것을/ 했어(요)? (너는 왜~)

*Why/ he/ in big trouble/ is?

왜/ 그 사람이 많이 어려워요?

*Why/ did you/ your job/ <u>quit</u>?

왜/ 너는(당신은)/ 직장을/ 그만뒀어(요)? (너는 왜~)

*Why/ do you/ it/ <u>hate</u>?

왜/ 너는/ 그것을/ 싫어해(요)? (너는 왜~)

*Why/ did she/ her mind/ change?

왜/ 그 여자는/ 마음이/ 변했어(요)? (그 여자는 왜~)

*Why/ he/ in there/ is? (Why is he in there?)

왜/ 그 사람은/ 거기 안에/ 있어(요)?

*Why/ did you/ so badly/ behave?

왜/ 너는(당신은)/ 그렇게 심하게/ 행동했어(요)? (너는 왜~)

*Why/ do you/ this song/ like?

왜/ 너는(당신은)/ 이 노래를/ 좋아해(요)? (너는 왜 ~)

*Why/ didn't you/ me/ call?

왜/ 너는(당신은)/ 나(저)에게/ 전화 안 했어(요)? (너는 왜~)

*Why/ didn't you/ here/ come?

왜/ 너는(당신은)/ 여기에/ 오지 않았어(요)? (너는 왜~안 왔어?)

*Why/ didn't you/ me so/ tell?

왜/ 당신은/ 저에게 그렇게/ 말하지 않았어(요)? (너는 왜~)

*Why/ did he/ it to her/ <u>give</u>?

왜/ 그 남자는/ 그것을 그 여자에게/ 줬어(요)? (그 사람은 왜~)

*Why/ is the sky blue?

왜/ 하늘은 파래(요)? (하늘은 왜~)?

*Why/ fog/over lakes/ is there? (Why is there fog over lakes?)

왜/ 안개가/ 호수 위에/ 있어(요)? (안개가 왜~)

*<u>How come</u>/ you are/ here?

왜/ 너는(당신은)/ 여기에/ 왔어(요)? (왔습니까?, 왔니?)

Why don't you~~? : ~~ 하는 게 어때(요)?

*Why don't you go home now?

너는(당신은)/ 지금 집에 가는 게 어때(요)? (어떠세요?)

*Why don't you take medicine?

너는(당신은) 약을 먹는 게 어때(요)?

*Why don't you try this?

네가(당신은) 이것을 해보는 게 어때(요)?

*Why don't you explain it?   *explain: 설명하다.

네가(당신은) 그것을 설명하는 게 어때(요)?

*Why don't you look in your room?

네가(당신은) 당신(네)방을 보는 게 어때(요)?

*Why don't you (go) see a doctor?

너는(당신은) 병원에 가보는 게 어때(요)?

213

*Why don't we <u>go to the movies</u>?

우리가 영화 보러 가는 게 어때(요)?   *go to the movies:
영화 보러 가다

*Why don't you send in your <u>resume</u>?

너는(당신은) 이력서를 보내보는 게 어때요?

*How about going shopping?

샤핑가는 게 어때(요)?

*What about her?

그 여자는 어때(요)?

whose: 누구의, 누구의 것

*it/ Whose shirt is? (Whose shirt is it?)

그것은/ 누구의 셔츠야? (셔츠예요?)

*it/ Whose fault is?

그것은/ 누구의 잘못이야? (잘못입니까?)

*this/ Whose idea is?

이것은/ 누구의 생각이야? (생각입니까?)

*When does it/start?

언제 그것은/ 시작해(요)? (그것은 언제 시작하나요?)

*When did you/ go downtown?

언제 너는(당신은)/ 시내에 갔어(요)? (너는 언제 ~)   *go downtown: 시내에 가다   *yesterday(어제), the day before yesterday(그저께), three days ago(3 일전)

*When did it/ happen?

언제 그것이/ 일어났어(요)? (그것이 언제~)

*When did you/ go there?

언제 너는(당신은)/ 거기에 갔어(요)? (갔습니까?)

 *When did you/ arrive?

언제 너는(당신은)/ 도착했어(요)? (당신은 언제~) *Two hours ago(두 시간 전에), A while ago(조금 전에, 방금 전에)

*When is it?

그것은 언제에요? (그게 언젠데?)

*Tomorrow(내일), The day after tomorrow(모레), 4 days later(4 일 후)

*When was it?

그것은 언제였어(요)? (언제였지?)

*January, 3(일월 3 일), May, 20(오월 이십일), July, 15 2008 (이천 팔년 칠월 십오일), August, 31, 1945(천 구백 사십 오년, 팔월, 삼십 일일)

*When are you due?

만기가 언제예요? (언제지?, 언제입니까?)

*When/ is the due date?

언제가 만기일이니? (만기일이 언제니? (언제 입니까?)

*When/ did you/ do it?

언제 너는(당신은)/ 그것을 했어(요)? (너는 언제 ~)

*When did you/ meet her?

언제 너는(당신은)/ 그 여자를 만났어(요)? (만났습니까?)

*When did you/ give her the ticket?

**언제 너는(당신은)/ 그 여자에게/ 그 티켓을 줬어(요)?
(줬습니까?)**

*When are you/ coming?

언제 너는(당신은)/ 올 거야? (올 거예요?)

*When did you/ her to do it/ ask?

**언제 너는(당신은)/ 그 여자가 그것을 하도록(그거 하라고)/
부탁했어(요)?** *ask: 부탁하다

*When/ does the fiesta/ take place?

**언제/ 그 축제가/ 열려요? (그 축제가 언제니? (언제예요?,
언제입니까?))**

*When/ is the concert?

콘서트가 언제예요? (언제야?, 언제입니까?)

*When are you leaving?

언제 너는(당신은)/ 가(요)? (너는 언제 떠나요?)

 *When are you/ going to go <u>downtown</u>?

언제 너는(당신은)/ 시내에 가려고 해(요)? (너는 언제~~?)

*When are you/ going to be <u>there</u>?

언제 너는(당신은)/ 거기에 가려고 해(요)? (너는 언제~~?)

*When are you/ going to get a haircut?

언제 너는(당신은)/ 머리를 자르려고 해(요)? (너는 언제~~?)
*get a haircut: 머리 자르다

*When do I/ have to change it?

언제 제가/ 그것을(그걸) 바꿔야 해(요)? (합니까?) *have to:
~해야 하다, change: 바꾸다

where: 어디에, 어디로

*Where is he? (Where is he?)

그 사람은 어디에 있어(요)?

*Where is the post office?

우체국이/ 어디에/ 있어(요)?

*Where am I?

여기가 어디입니까? (어디예요?)

*Where are you from?

*Where do you come from?

너는(당신은) 어디에서(어느 나라에서)/ 왔어(요)?

*What part are you from?

너는(당신은) 어느 지방에서 왔어(요)?

*Where/ they/ are?

어디에/ 그 사람들이/ 있어(요)? (그들은(개내들은) 어디에~~)

*Where can I take a bus?

**어디서 내가 버스 탈 수 있어(요)? (내가 어디서 ~~?,
어디서 버스 타요?, 버스 정류장 어디예요?)** *take a bus:
버스를 타다

*Where were we?   (Where were we up to?)

어디까지 했나요? (했어요?)

*Where do you/ work?

**어디에서 너는(당신은)/ 일해(요)? (당신은) 어디에서
일하세요?)**

*Where do you/ live?

**어디에 너는(당신은)/ 살아(요)? (너는 어디에 사니?) (어디
사세요?)**

*Where did he/ hide?

어디에 그는/ 숨었어(요)?   (그는 어디 ~~)

*Where did it/ happen?

어디서 그것이/ 일어났어(요)? (그것이 어디서 ~?)

*Where are you/ staying?

어디에서 너는(당신은)/ (머무르고) 있어(요)? (너는 어디에 있어?)

*Where are you/ going? (Where are you headed?)

너는(당신은)/ 어디에/ 가고 있어(요)? (어디 가니?, 어디 가세요?)

*Where did you/ buy (get) the clothes?

어디에서 너는/ 그 옷을 샀어(요)? (너는 어디서 그 옷을 ~~?)

*Where did you/ meet her?

어디서 너는(당신은)/ 그 여자를 만났어(요)? (너는 어디서~~?)

*Where did you/ put it?

어디에 너는(당신은)/ 그것을(그걸) 놔뒀어(요)? (너는 어디에 그것을 놔뒀어?)

*Where does the fiesta/ take place?

어디에서 그 축제가/ 열려(요)? (그 축제는 어디에서~)

*Where do you/ want to stay?

어디에 너는(당신은)/ 있고(머무르고) 싶어(요)? (싫니?, 싶으세요?)   (너는 어디에 있고 싶어?)

*Where do you/ want to go next?

다음에 너는(당신은) 어디로/ 가고 싶어(요)?(너는 다음에~)

*Where do you/ want to have dinner?

어디서 너는(당신은)/ 저녁을 먹고 싶어(요)? (너는 어디서)

*Where do you/ want to move?

어디로 너는(당신은)/ 이사하고 싶어(요)? (너는 어디로~)

*Where do you/ want to live (when you retire)?

어디에 너는(당신은)/ 살고 싶어(요)? (네가 은퇴 했을 때)

*Where do you/ want to travel?

어디로 너는(당신은)/ 여행하고 싶어(요)? (너는 어디로~~)

how: 어떻게, 얼마나

*How was <u>your trip</u>?

네(당신의) 여행은 어땠어(요)? (어땠니?)   *trip: 여행

*How was <u>your summer vacation</u>?

네(당신의) 여름 방학은 어땠어(요)?

*How did it/ begin?

어떻게 그것은/ 시작됐어(요)? (그것은 어떻게 ~~)

*How do we/ get it?

어떻게 **우리가/** 그것을 사(요)? (구해(요)?) (**우리가** 어떻게
~~) *get: 얻다, 구하다, 사다

*How did you/ get it?

어떻게 **너는(당신은)/** 그것을 (구했어(요)? (어디서 났니?)

*How did you/ know that?

어떻게 **너는(당신은)/** 그것을 알았어(요)?

224

*How did you like it?

그건 어땠어(요)?

*How can I/ get to the bank?

어떻게 내가(제가)/ 은행에 갈 수 있나요? (은행이 어디
있나요?)

*How often/ do you /go to the movies?

얼마나 자주/ 너는(당신은)/ 영화관에 가(요)? (너는 얼마나
자주~)

*How often/ do you/ play tennis?

얼마나 자주/ 당신은/ 테니스를 치세요? (당신은 얼마나
자주~?) (너는 얼마나 자주~테니스 쳐?)

*How often/ does the fiesta/ take place?

얼마나 자주/ 그 축제가/ 있어(요)? (열려요?) (그 축제가
얼마나 자주~)

*How long/ did you/ stay in the city?

얼마나 오랫동안/ 너는(당신은)/ 그 도시에서 있었어(요)?

*by bus (by train, by car, by plane)/ How long/ does it take/?

버스로(기차로, 차로, 비행기로)/ 얼마나 오래/ 시간이 걸려(요)?

*from here to there/ How long/ does it take?

여기서 거기까지/ 얼마나 오래/ 시간이 걸리니? (걸려(요)?)

*How long /did you wait?

얼마나 오래/ 너는(당신은) 기다렸어(요)? (너는 얼마나 오래 기다렸니?)

*How long/ did you shop?

얼마나 오랫동안/ 너는(당신은) 쇼핑 했어(요)?

*How long /do you/ have to stay there?

얼마나 오래/ 너는/ 거기에 있어야(머물러야) 해(요)?

*How long/ are you/ going to stay in the United States?

얼마나 오래/ 너는(당신은)/ 미국에 머무를(있을) 거니? (거야?, 거예요?)

*How long have you been <u>here</u>?

**너는 여기에서 얼마나 오랫동안 살았니? (너는(당신은)
얼마나 오래 여기에 살았어(요)?)**

*<u>How far</u>/ is it?

그것은 얼마나 머니? (멀어(요)?)   *far: (거리가) 먼

*How far/ is it/ <u>from here</u>?

여기서 얼마나 머니? (멀어(요)?)

*<u>How tall</u>/ is he?

그는 얼마나 <u>키가 크니?</u> (커(요)?, 큰가요?, 큽니까?)

*<u>How big</u>/ is the universe?

우주가 얼마나 <u>크니?</u> (커(요)?, 큰가요?, 큽니까?) *big: 큰

*<u>How high</u>/ is the mountain?

그 산은 얼마나 <u>높아(요)?</u> (높니?, 높나요?, 높습니까?)

*How much/ is the bus fare?

버스비가 얼마니? (얼마야?, 얼마예요?)

*How much/ is it?

그것은/ 얼마니? (얼마예요?, 얼마야?)

*How wide/ is it?

그것은 얼마나 넓니? (넓어(요)?, 넓습니까?)

*How old/ were you then?

너는(당신은) 그 때 몇 살이었어(요)? (그 때 너는(당신은)
~~)

*How old/ are you?

너는 몇 살이니? (몇 살이야?, 당신은 몇 살이에요?, 연세가
어떻게 되요?)

*How small/ is it?

그것은 얼마나 작니? (작아(요)?, 작습니까?)

*How bad is it?

그것은 얼마나 나쁘니? (나빠(요)?, 나쁜가요?)   *bad: 나쁜

*How many people/ are there?

몇 사람이/ 있어(요)? (있니?, 있나요?, 있습니까?)

*How about/ that? (It's good. Not bad. It's O.K)

그것은(그건) 어때(요)? (좋아, 나쁘진 않아, 괜찮아)

*How about/ you? (What about you?)

너는 어때? (당신은 어떠세요?)

*How about/ going shopping?

쇼핑 가는 것이 어때(요)? (어떠세요?, 어떠니?)

*How about/ meeting 20 minutes earlier?

20 분 일찍 만나는 것이 어때(요)? (어떠세요?, 어떠니?)

229

always, usually, never, often, sometimes, seldom, rarely,

*He is <u>always</u> there.

그는 <u>항상</u> 거기에 있어요.

*He always looks great.

그는 항상 멋있어 보인다. (보여요)

 *People always/ with her/ seem impressed.

사람들은 항상/ 그녀에게/ 감명받은 것처럼 보여요.

*I <u>usually</u> do that.

나는(저는) <u>보통</u> 그것을 해(요).

*He usually/ with a text or an e-mail/ responds

그는 보통/ 문자나 이메일로/ 대답해요.

*Usually/ I/ them/ don't eat

보통/ 나는(저는)/ 그것을(그걸)/ 안 먹어(요).

*These bags are usually/ from natural materials/ made.

이 가방들은 보통/ 천연 재료로/ 만들어져요.

*It's usually uncomfortable for me.

그것은 보통 나(저)에게 불편해요.

*He <u>never</u> travels alone.

그는 절대로 혼자 여행하지 <u>않아요</u>. *never: 절대(결코)
~하지 않는다

*He almost never shows up.

그는 거의 절대로 나타나지 않는다. (않아요)

*I never lost confidence.

나는 자신감을 결코 잃지 않았어요. *lose: 잃다

*I never regretted it.

나는(저는) 그것을 결코 후회하지 않았어(요). *regret;
후회하다

*He <u>often</u>/ about his own height/ makes jokes

그는 <u>자주</u>/ 자기 키에 대해/ 농담을 해요.

*The disorder is often/ in late childhood/ diagnosed

이 장애는 자주/ 아동기 후반에/ 진단됩니다.

*<u>Sometimes</u> you're/ with what people do/ disappointed.

<u>때때로</u> 여러분은/ 사람들이 하는 것에/ 실망합니다.

*He/ sometimes/ this/ will do.

그 사람은/ 때때로/ 이것을 할 거예요. (할 거야)
*sometimes: 때때로, 가끔씩

*You/ sometimes him/ can see.

너는(당신은)/ 가끔씩/ 그 사람을/ 볼 수 있어(요).

*I/ Busan/ <u>seldom</u> visited.

나는(저는)/ 부산을/ <u>거의</u> 가지 않았어(요). (방문하지 않았어요) *seldom: 거의 ~하지 않다**

*He/ on the evening news/ seldom appears.

그는 저녁 뉴스에 거의 나오지 않아(요). (않는다) *appear: 나타나다

*Her thoughts are seldom positive.

그 여자의 생각은 거의 긍정적이지 않아(요).

*They/ such things <u>directly</u>/ seldom say.

그들은/ 그런 일(것)을 <u>직접적으로</u>/ 거의 말하지 않아(요).

*I <u>rarely</u> do that.

나는(저는) 그것을 거의 하지 않아(요). *rarely: 거의 ~하지
않는다

 *She rarely mentioned the issue.

그 여자는 그 이슈를 거의 언급하지 않았어요. *mention:
언급하다

can, must

*can: ~할 수 있다, ~ 해도 된다 *must:~ 해야 한다, must not:~ 해서는 안 된다, must be: ~ 임에 틀림없다. (틀림없이 ~하다), cannot be: ~ 일리가 없다

*He can walk.

그는 걸을 수 있어(요).

*I can swim.

나는(저는) 수영할 수 있어(요). (수영 할 줄 알아요)

*You/ here/ can park

넌(당신은)/ 여기에/ 주차해도 돼요.

*You/ me at 5/ can call.

넌(당신은)/ 나(저)에게 5 시에(5 시에 나에게)/ 전화해도 돼(요).

*You/ in class / must be quiet.

여러분은/ 수업 중에/ 조용해야 합니다.

*The application/ by March 4/ must be submitted

그 지원서는/ 3 월 4 일까지/ 제출돼야 한다.(해요)

*He must be sick.

그는 아픔에 틀림없어(요). (그는 틀림없이 아파요)

*This must be pretty lucky.

이건 틀림없이 꽤 운이 좋은 거야.

* It cannot be true

그것은 사실 일리가 없어(요)

*We must not smoke in the airplane.

우리는 기내에서 담배를 피워서는 안됩니다.

*We/ our main objective/ must not forget

우리는 우리의 주요 목표를 잊어서는 안 된다

may: ~ 일지도 몰라(요) (모른다)

*may: ~일지도 모른다, may not: ~이 아닐지도 모른다
*may:~ 해도 된다, may not:~ 해서는 안 된다

*It may hurt.

그것은 아플지도 모른다

*It may rain.

비가 올지도 몰라.

*It may be true.

그것은 사실 일 지도 몰라(요).

*It may not be true.

그것은 사실이 아닐지도 몰라(요).

*It may snow <u>tonight.</u>

오늘밤 눈이 올지도 몰라(요).

*You may die.

넌(당신은) 죽을지도 몰라(요)

236

*It may break.

그것은 부러질지도 몰라(요).

*She may come.

그녀는 올지도 몰라(요).

*That may work.

그것은 효과가 있을지도 몰라(요).

* It may be right.

그것은 맞을지도 몰라(요).

*It may be a mistake.

그것은 실수 일지도 몰라(요).

*May I come in?

들어가도 돼(요)?

*May I / your umbrella/ borrow?

내가(제가)/ **너의(네)** 우산을/ 빌려도 되겠니? (될까요?)

*there is, there are: ~이 있다, there was, there were: ~이 있었다
there is no~: ~이 없다, there was no~: 이 없었다. there is(are)
not~: ~이 없다, there was(were) not: ~이 없었다

*Are there any problems?

(어떤) 문제가 있어(요)?

*outside/ There is something.

밖에/ 뭔가가 있어(요).

*near here/ Is there a bank?

여기 근처에/ 은행이 있어(요)? (이 근처에 은행이 있어(요)?)

*about the incident/ Are there any details?

그 사건에 대해/ 어떤 자세한 내용이 있어(요)? (있나요?)

*with this picture/ Is there anything wrong?

이 그림에/ 어떤 잘못된 것이 있나요? (있어요?, 있습니까?)
*anything wrong: 어떤 잘못된 것(wrong: 잘못된, 틀린)

*between A and B/ There is a big difference.

A 와 B 사이에/ 큰 차이가/ 있어(요).

*to each game/ There are four periods

각 게임에/ 4 회전이 있어(요).

*There weren't enough trains.

기차가 충분히 없었어(요).

*on the road/ There were not a lot of cars

길에/ 차가 많지 않았어(요)

*in the back seat/ There were two children sitting

뒷좌석에/ 두 아이가 앉아 있었어(요).

*on the lower level/ There were no seats available.

아래 층에/ 좌석이 없었어(요).

*to say/ There is much

말할 것이/ 많이 있어(요). (할 말이 많아(요))

*to doubt him / There's no reason

그를 의심할/ 이유는 없어(요). *doubt: 의심하다

*to do that/ Is there special reason?

그것을 해야 할/ 특별한 이유가 있어(요)? *do that: 그것을 하다(do: 하다)

*to believe that/ There is no reason

그것을 믿을/ 이유가(는) 없어(요).

*in that store/ There is no reason <u>to buy electronics</u>

그 가게에서/ 전자제품을 살 이유가 없어(요).

About the author

Graduated from Yonsei University in Korea

Published '1+1 Korean and English Vocabulary'

Taught English in Korea for years.